Y TŴR

gan

GWENLYN PARRY

GWASG GOMER
1979

Love
Tom.

Argraffiad Cyntaf—Awst 1979
Ail Argraffiad—Mawrth 1992
Trydydd Argraffiad—Mawrth 1994

ISBN 0 85088 771 2

Dymuna'r cyhoeddwyr gydnabod cymorth a chyfarwyddyd Adrannau'r Cyngor Llyfrau Cymraeg a noddir gan Gyngor Celfyddydau Cymru.

Argraffwyd gan
J. D. Lewis a'i Feibion Cyf., Gwasg Gomer, Llandysul

ER COF AM

FY NHAD, WILLIAM JOHN PARRY

A'M TAD-YNG-NGHYFRAITH, ROY DAVIES.

CYMERIADAU :

GWRYW
BENYW

"Hafal blodeuyn hefyd
I'n hoen fer yn hyn o fyd."

GORONWY OWEN

RHAGARWEINIAD

Hoffwn ddiolch yn gyntaf i Phyllis Neep, gweddw y diweddar Victor Neep, am ganiatâd i ddefnyddio atgynhyrchiad o ddarlun olew ei gŵr ar glawr y gyfrol hon. Wrth syllu ar y gwaith yma uwchben fy silff-bentân y dechreuodd "Y Tŵr" ffrwtian yng ngwaelod fy mol.

Dymunaf ddiolch hefyd i Ellen Roberts, fy ysgrifenyddes, am gyflawni campwaith unwaith eto drwy ddarllen fy llawysgrifen flêr a'i theipio mor ofalus ; i'r Cyngor Llyfrau Cymraeg am ddarllen y llawysgrif mor drylwyr ; i Maureen Rhys a John Ogwen am roi'r anadl gyntaf i'r esgyrn sychion ; i David Lyn, y cynhyrchydd, am ei lwyr ymroddiad i'r gwaith a'i awgrymiadau gwerthfawr yn ystod yr ymarferiadau ; ac i Wasg Gomer am eu gofal a'u hamynedd ynglŷn â chyhoeddi'r gyfrol hon.

Mae fy nyled yn fawr hefyd i Mr. Saunders Lewis am ei gymorth ac am ysgrifennu'r Rhagair.

Awst 1979. GWENLYN PARRY

Y TŴR

(Drama Gomisiwn Eisteddfod Genedlaethol Caerdydd 1978)

Cyflwynwyd y ddrama hon am y tro cyntaf ar y llwyfan gan Gwmni Theatr Cymru yn Eisteddfod Genedlaethol Caerdydd, 1978.

CYMERIADAU

Y Fenyw : MAUREEN RHYS
Y Gwryw : JOHN OGWEN

Cyfarwyddwr : DAVID LYN
Cynllunydd : MARTIN MORLEY
Goleuo : GRAHAM LARGE
Prif Saer : GLYN RICHARDS
Paentiwr y set : CHARLES WILLIAMS
Rheolwr Llwyfan : DEWI HUWS
Ffilmiau : JACK JAMES, BWRDD FFILMIAU CYMRU

Cyfansoddwyd miwsig arbennig ar gyfer y cynhyrchiad gan William Mathias.

RHAGAIR

Ar gais Mr. Gwenlyn Parry y sgrifennir hyn o ragair. Nid rhaid wrtho. Y mae athronwyr, un ohonynt yn athro prifysgol o fri yng Nghymru ac yn Ewrop, wedi ymddiddori yn ei waith ef.

Ei faes proffesiynol yw'r theatr a'r stiwdio teledu. Y mae'n grefftwr sy'n deall ei gyfryngau a'u hadnoddau. Y mae'r theatr iddo ef yn gyfle i ddangos yn ogystal â dweud. Y mae drama'n beth i'w weld a'i glywed ar lwyfan neu ar sgrîn, sy'n symud, yn goleuo a thywyllu, yn rhoi pobl a darluniau o bobl gyda'i gilydd, a'i gymeriadau yn eu gwneud cyn huotled ag yn eu dweud. Y mae'r cyfarwyddiadau mewn llythyren italig yn y llyfr hwn yn rhan hanfodol o'r ddrama, nid yn awgrym, *sotto voce*, i'r actor a'r darllenydd. Y mae'r seibiau hwythau'n ddwys. Dywedir fod ar Mr. Parry ddyled i esiampl y dramäydd Saesneg, Mr. Pinter, yn enwedig yn ei ddefnydd o seibiau. Fe wêl darllenydd a chynulleidfa *Y Tŵr* ei fod ef hefyd wedi myfyrio nid ychydig ar waith Mr. Samuel Beckett. Y mae'r ail act a'r drydedd yn deffro atgofion diddorol am *Wrth Aros Godot*.

A gaf i fentro dweud ychydig am iaith y ddrama? Y mae'r awdur, mi gredaf, yn frodor o'r un rhan o Arfon a'i ragflaenydd meistraidd, Dr. John Gwilym Jones, ond genhedlaeth yn iau. Rhaid cyfaddef fod y dafodiaith wedi dirywio a mynd yn sobr dlotach rhwng y ddau ddramäydd. Bron iawn yr unig ansoddair Cymraeg sy'n aros yn Llanrwst ac Arfon heddiw, tyst o'u llenyddiaeth yw *blydi* ; yr wyf i'n cofio hwnnw'n cael ei yngan y tro cyntaf erioed ar lwyfan theatr Saesneg gan

Mrs. Patrick Cambell, ac fe aeth ias o arswyd drwy Brydain Fawr a'r America. Heddiw, megis rhyw sgwarnog lwyd, y mae ef wedi difa hanner yr iaith Gymraeg. Ond dyna'r iaith lafar a etifeddodd cymeriadau Mr. Parry a hynny nepell o fro Dr. Kate Roberts Y rhyfeddod yw bod Mr. Parry yn tynnu rhuthmau barddoniaeth hiraeth a siom a thrueni'r hil ohoni. Canys bardd o ddramäydd, sy'n cogio bod yn ddyn y B.B.C. yw ef. Ac y mae ei rhuthmau ef yn gofyn cryn graffter yn ei actorion. Er enghraifft :

Eira ! . . . .

'Di 'di dechra 'ta ?

Yr ystyr yw : "Ydi hi wedi dechrau ynteu ?" Rhaid ei ddweud ef megis petai'n fiwsig : " 'Dí, 'di déchra 'tà ?" Fe ŵyr Mr. Parry sut i glymu'n un ei lwyfan a'i gynulleidfa, ond na thybied neb mai poblogrwydd yw ei nod. Araf hefyd y dylid darllen ei ddrama ; nid rhaid brysio ; nid oes dim yn digwydd ond byw a'i boen.

SAUNDERS LEWIS.

ACT I

Amser : Haf

GOLYGFA :

Ystafell mewn tŵr cylchog. Nid oes rhaid iddo fod yn berffaith grwn ; yn wir, gallai tŵr wythochrog fod yn fwy trawiadol. Mewn gwirionedd, ail ystafell y tŵr yw hon, ac y mae grisiau yn arwain i mewn iddi o'r ystafell islaw. Nid oes rhaid gweld y grisiau yma, dim ond y drws sy'n arwain i mewn. Yn yr un modd mae grisiau eraill yn troelli i fyny i'r ystafell sydd yn union uwchben. Mae'n rhaid i'r grisiau yma fod yn weddol amlwg, gan fod rhaid i'r sawl a'u dringa fod yn hollol weladwy i'r gynulleidfa nes cyrraedd y brig a diflannu, fel petai, i'r to.

Mae ffenestr fawr yn y mur yng nghefn y llwyfan. Mewn gwirionedd, sgrîn yw'r ffenestr ac fe deflir lluniau arni (os yn bosib o'r tu ôl) o bryd i'w gilydd yn ystod y ddrama. Gwelir lamp siâp lantarn hefyd ar un o'r muriau ac fe fydd actor yn gallu ei chynnau fel bo'r angen. Nid oes dodrefn naturiol yn yr ystafell, dim ond darnau symudol o'r un lliw ond o wahanol ffurf (ciwb, bocs hirsgwar etc.) Bydd y cymeriadau'n gwneud gwahanol ddefnydd o'r ffurfiau yma yn ôl y galw ac yn eu defnyddio fel cadair, bwrdd, gwely etc.

Pan gyfyd y llen, mae'r llwyfan yn dywyll. Cryfheir golau gwyrdd ar y ffenestr i greu'r argraff fod y golau yma yn llenwi'r ystafell. Yn yr un modd cryfheir miwsig. Nid miwsig naturiol yng ngwir ystyr y gair ydyw, ond rhyw fath o ddilyniant o synau haniaethol, cynhyrfus ac arallfydol. Clywir sŵn plant yn chwarae ac yna cymysgir dilyniant o ffilm ar y sgrîn (sef y ffenestr) *sy'n dangos bachgen a merch fach yn rhedeg ar ôl ei gilydd ar lan y môr. Yn y man mae'r plant yn prancio drwy'r dŵr fel dau ebol ifanc, ac yn llwyr ymgolli yn eu chwarae.*

Ymhen ychydig, clywir sŵn chwerthin merch ifanc yn cryfhau wrth iddi redeg i fyny'r grisiau o'r ystafell islaw. Y foment y mae'r drws yn agor, mae'r ffilm yn diffodd yn y ffenestr. Daw'r ferch ifanc i mewn i'r ystafell, ac y mae'n edrych o'i chwmpas gyda golwg gynhyrfus o hapus arni. Mae wedi ei gwisgo fel y byddai unrhyw ferch ifanc wedi ei gwisgo i grwydro'r wlad ar ddiwrnod poeth o haf.

MERCH : Dwi yma ! (*Mae'n edrych o'i chwmpas gyda brwdfrydedd, ac yna'n mynd yn ôl i'r drws a galw i lawr y grisiau*) Brysia ! (*Mae'n edrych o gwmpas eto. Mae wrth ei bodd, fel petai wedi dod o hyd i rywle mae wedi bod yn chwilio amdano ers talwm*) . . . . O'r diwadd, dwi yma ! (*Mae bron yn dawnsio o gwmpas yr ystafell gan neidio dros, ac ar, ambell i gelficyn. Rhed at y drws eto a gweiddi*) Lle rwyt ti ?

LLANC : (*O'r golwg yn lled bryderus*) Dwi'n dŵad! (*Daw llanc ifanc i mewn. Mae yntau hefyd wedi ei wisgo mewn gwisg achlysurol, ffasiynol. Daw i mewn yn llewys ei grys, ond y mae'n cario siaced dros ei fraich*)

MERCH : (*Yn llawn cynnwrf*) Be ti'n feddwl ?

LLANC : (*Yn edrych o'i gwmpas yn amheus ond yn dal i sefyll wrth y drws*) Wn i'm.

MERCH : (*O ganol yr ystafell*) Tyd i fan hyn.

LLANC : Y ?

MERCH : (*Yn estyn ei dwylo ato*) I fan hyn ata i.

LLANC : (*Heb symud*) Ti'n meddwl dylen ni ?

MERCH : Pwy sy'n mynd i'n hatal ni ?

(Saib hir tra bo'r bachgen yn edrych yn amheus ar y grisiau sy'n troelli tua'r to. Mae'r ferch hefyd yn awr yn edrych tua phen y grisiau cyn cerdded yn sydyn at y llanc)

MERCH : Be s'arnat ti dŵad ? *(Mae'n ei dynnu i ganol yr ystafell)*

LLANC : Be tasa rhywun yn dŵad ?

MERCH : *(Yn rhoi ei breichiau am ei wddf)* Ddôn nhw ddim i fama.

(Clywir lleisiau plant yn chwerthin o gyfeiriad gwaelod y grisiau islaw)

LLANC : *(Yn gwthio ei breichiau i ffwrdd)* Ma' nhw yna!

MERCH : *(Braidd yn llym yn awr)* Ddôn nhw ddim i fan hyn! *(Mae'n mynd at y drws a'i gau'n glep. Distawa pob sŵn plant o'r ystafell islaw)* 'Sganddyn nhw ddim hawl !

LLANC : Ddim hawl ?

MERCH : Chân nhw ddim !

LLANC : Ond 'dan *ni* yma . . . .

MERCH : 'Dan *ni* i fod—dyma'n hamsar ni. *(Mae'n nesu ato eto a rhoi ei breichiau am ei wregys a'i dynnu ati)* . . . . Ti ddim yn dallt ?

LLANC : Ond y stafell isa 'na ddudodd . . . . *(Mae'n petruso)* . . . .

MERCH : *(Yn ddirmygus)* Dy fam ! *(Saib)* . . . .Hi ddudodd 'tê ? . . . . Hi ddudodd wrthat ti am aros lawr fanna ?

LLANC : Ma' pawb arall o'n ffrindia ni'n gneud.

MERCH : Am ma' fanna ma' nhw i fod. *(Mae'n ei dynnu ati eto yn addfwyn)* . . . . Ond fama ma'n lle ni . . . . y ddau ohonan ni . . . . hefo'n gilydd. *(Mae'r llanc yn dal yn anghysurus er bod y ferch yn dechrau ymgolli ychydig. Mae'n ei ddatgysylltu ei hun a mynd at y grisiau ac edrych i fyny'n ofnus*)

LLANC : Dwi ddim yn licio'r lle 'ma o gwbwl.

MERCH : (*Yn chwerthin*) Be ti'n feddwl ? (*Mae'n dechrau cerdded o gwmpas eto*) . . . . Ma' hi'n grêt yma. (*Mae'n neidio i ben bocs mawr tra bo'r llanc yn cerdded o gwmpas yn amheus*)

LLANC : (*Ofnus*) Rhyw deimlad rhyfadd . . . . (*Mae'n edrych drwy'r ffenestr tuag at i lawr*)

MERCH : (*Yn gorwedd ar wastad ei chefn ar y bocs*) Clyfar 'tê ! (*Mae'n codi ei choesau i'r awyr ac edrych arnynt gydag edmygedd*)

LLANC : 'Dan ni ddim hannar ffordd i fyny'r tŵr 'ma eto.

MERCH : (*Ar wastad ei chefn ar y bocs o hyd*) Ti wedi bod yn caru ar ben bwrdd erioed ?

LLANC : (*Yn dal i edrych allan*) 'Dan ni lawar rhy agos i'r llawr.

MERCH : O'dd gin Sali Pritchard lyfr yn 'Raelwyd neithiwr !

LLANC : (*Yn mynd at y drws a rhoi ei glust arno i wrando*) Dwi'n siŵr 'u bod nhw yna o hyd.

MERCH : "Your Position in Life" . . . . Dyna be oedd 'i enw fo. (*Mae'r llanc yn cerdded yn araf tua'r grisiau eto*) . . . . Ti'n dallt . . . . "Position" ! . . . . Bob ffordd, bob sut . . . . Nefoedd ! 'Sat ti'n gweld llunia. (*Mae'r llanc yn rhoi un droed ar y gris isaf fel petai'n teimlo a ydyw yn ddigon cadarn neu beidio*) A mi oedd un ohonyn nhw hefo'r 'ddau' yma ar ben y bwrdd . . . . (*Mae'n troi ei phen i edrych arno a sylwi ei fod yn rhythu'n fyfyriol tua phen y grisiau*) . . . . Ti'n clŵad be dwi'n ddeud ?

LLANC : (*Fel petai'n deffro o freuddwyd*) Y ?

MERCH : (*Yn dod i lawr oddi ar y bocs*) 'Na fo .... o'n i'n gwbod .... ti'n gwrando dim arna i nac wyt.

LLANC : Ti'n gêm .... ? (*Yn edrych i dop y grisiau*)

MERCH : (*Yn obeithiol*) Beth ?

LLANC : I fynd fyny 'na .... i'r stafell nesa.

MERCH : Ond newydd gyrraedd fan hyn 'dan ni.

LLANC : Mi fydd hi'n llawar saffach !

MERCH : Gwranda ! Trïa ddallt ....

LLANC : Ucha'n byd, gora'n byd,—'mhell o gyrraedd pawb .... neb i specian.

MERCH : Yli ! Fama 'dan ni i fod .... a fama ma' rhaid i ni aros am dipyn .... wel, tan fyddan ni'n barod beth bynnag.

LLANC : Barod i beth ?

MERCH : Wel .... dwn i'm .... ond dwi'n gwbod na tydan ni ddim yn barod i fynd rŵan. (*Mae'n mynd ato eto ac yn gafael yn ei ddwylo*) Gad i ni fwynhau fama i ddechra .... mentro chydig. (*Mae'n ei dynnu eto i ganol yr ystafell*) .... a ma' mentro yn brofiad ynddo'i hun .... yn rhoi gwell blas ar betha ? (*Saib*) Ti ddim yn meddwl ?

LLANC : (*Yn betrusgar eto*) Dwi ddim ofn mentro ....

MERCH : Tyd 'ta .... gwasga fi. (*Mae'n gafael yn ei freichiau a'u clymu am ei phen ôl*) Gwasga fi'n dynn ! (*Mae'r llanc yn codi ei freichiau nes eu bod o gylch ei gwasg, ond heb lawer o frwdfrydedd*) Mwy ! Gwasga fi'n slwts ! (*Mae'n ei gusanu, ond eto nid oes llawer o ymateb gan y llanc*) Mi elli di agor cefn 'y ffrog i.

LLANC : Y ?

MERCH : Sip ! Mi elli di 'i agor o—lawr i'r gwaelod os lici di.

LLANC : O !

MERCH : Tyd ! (*Mae'n ei gusanu'n weddol ffyrnig yn awr, ond mae'r llanc yn gollwng ei ddwylo'n llipa. Mae'r ferch yn gwylltio a'i wthio oddi wrthi*) Nefoedd yr adar ! Waeth i mi garu hefo lwmp o bwdin siwat ddim.

LLANC : Ia, wel . . . .

MERCH : Ti rêl babi clwt.

LLANC : Ma' lle ac amsar i bopath 'toes ?

MERCH : (*Yn gweiddi*) Faint o amsar ti isio . . . . ? Sut blydi lle ?

LLANC : Sh ! (*Mae'n edrych yn ofnus at dop y grisiau*)

MERCH : Bob tro 'dan ni'n dechra—ti'n nogio.

LLANC : Falla bod rhywun o gwmpas . . . . glywis i sŵn rŵan dest.

MERCH : (*Yn goeglyd*) Pwy ddiawl ti'n feddwl sy 'na—dy fam ?

LLANC : (*Yn codi ei wrychyn*) Yli, llai o hynna . . . .

MERCH : Dos adra i gysgu hefo *hi* 'ta.

LLANC : (*Tymer yn codi*) Dwi'n deud wrthat ti . . . .

MERCH : Gysgi di hefo neb arall yn ôl bob golwg . . . .

LLANC : (*Yn wyllt*) Nei di fod ddistaw . . . . ?

MERCH : (*Bron mewn sterics*) A tasat ti, fasat ti ddim yn gwbod be i neud.

LLANC : (*Yn gafael ynddi*) Tisio i mi 'i chau hi iti ?

MERCH : Dwi ddim yn meddwl bod gin ti un hyd yn oed . . . .

(*Mae'r llanc yn rhoi clustan dda i'r ferch ar draws ei boch. Ar ôl iddo wneud hyn, cawn ysbaid hir o ddistawrwydd. Mae'r ferch yn troi ei chefn ar y llanc a'r gynulleidfa ac fe welwn ei hysgwyddau'n symud fel y mae'n ochneidio dan deimlad. Mae'r llanc wedi ei syfrdanu gan ei weithred greulon*)

LLANC : Desu ! Sori . . . . (*Mae'n ceisio ei throi i'w wynebu, ond mae hithau yn ei ysgwyd i ffwrdd*) . . . . O'n i ddim yn meddwl . . . . wn i ddim be ddaeth drosta i . . . . 'Swn i ddim yn cymryd y byd a dy frifo di . . . . (*Mae'r ferch yn cerdded oddi wrtho at y ffenestr. Mae'n crynu fel petai'n dal i wylo'n ddistaw*) . . . . Ti'n clŵad . . . . (*Saib hir yn awr. Nid yw'r llanc yn gwybod beth i'w wneud*) . . . . Ti ddim yn dallt ? . . . . Dwi'n meddwl y byd ohonat ti.

(*Mae ochneidiau'r ferch yn gostegu. Distawrwydd hir eto fel y mae'r llanc yn ceisio penderfynu beth i'w wneud nesaf*)

MERCH : (*Heb droi ei phen i edrych arno*) Dwi'n credu 'i bod hi'n hel storm.

LLANC : Ydi hi ?

MERCH : Cymyla duon dros Ben Foel !

LLANC : Roeddan nhw'n gaddo terfysg bora.

MERCH : Mi neith dipyn o law trana les i'r tyfiant.

LLANC : (*Yn nesu at y ferch*) Ma' pob man yn sych grimp hefo'r holl haul yma 'dan ni 'di gael. (*Mae yn ei chyrraedd*)

MERCH : Wna i ddim cwyno chwaith—dwi wrth 'y modd hefo haul.

LLANC : (*Yn ei throi yn araf tuag ato*) A finna hefyd !

MERCH : (*Yn ei wynebu*) Fiw i ni gwyno gormod.

LLANC : Fiw i ni !

(*Mae'n ei chusanu yn ysgafn ar ei gwefus. Fe dorrir ar y foment brydferth yma gan y daran gyntaf. Mae'r ferch yn neidio mewn dychryn*)

MERCH : O'r nefoedd !

LLANC : (*Yn ddewr yn awr*) Ddudis i y basa hi'n tranu do ? (*Yn rhoi ei fraich amdani*)

MERCH : Oes 'na ddrych yma ?

LLANC : Be ?

MERCH : Rhag y mellt.

LLANC : Be ti'n rwdlian ? (*Daw taran arall*)

MERCH : Mi fydda 'Mam yn gneud hynny bob amsar . . . . troi pob drych at y wal. (*Mae'n edrych o gwmpas*) 'Sdim drych yma nac oes ?

LLANC : Yli, tyd i fan hyn i ista . . . . 'dan ni'n berffaith sâff. (*Mae'n eistedd wrth ei ymyl ac yn swatio i'w gesail. Mae'n ei gwasgu ato*) Barith hi fawr sti !

MERCH : Ti ddim ofn 'ta ?

LLANC : Na 'dw i.

MERCH : Ma' hi 'di twllu hefyd.

LLANC : (*Yn edrych ar y lamp sydd ar fur y tŵr*) 'Di honna'n gweithio tybad ? (*Mae'n codi at y lamp ac yn pwyso nobyn bach sydd ar ei gwaelod. Mae'r lamp yn cynnau a'r ystafell yn goleuo unwaith eto*) 'Na ti glyfar !

MERCH : Clyfar iawn. (*Panic eto*) Neith y mellt ddim byd i'r lectric na neith ?

LLANC : Choeliais i.

MERCH : Ti'n siŵr ?

LLANC : (*Yn eistedd wrth ei hochr eto ac yn rhoi ei fraich amdani yn dadol*) Yli, os oes rhywun yn gwbod rwbath am lectric . . . . fi 'di hwnnw.

MERCH : (*Yn mwynhau ei fraich warcheidiol*) Ia 'tê . . . . Dwi'n teimlo'n sâff hefo ti.

LLANC : (*Wedi ei blesio'n arw*) Wyt ti ?

MERCH : Fyddi di ofn dim byd 'ta ?

LLANC : Dim byd o bwys sti.

MERCH : Sbrydion ?

LLANC : (*Chwerthin rŵan*) Sbrydion ! Ti ddim ofn rheini nac wyt ti . . . . ?

MERCH : 'Swn i ddim yn licio cwarfod un yn twllwch.

LLANC : Nei di ddim—does 'na run.

MERCH : Ti'n meddwl ?

LLANC : Sâff ! (*Saib hir yn awr*)

(*Clywir sŵn taran arall ond un lawer llai y tro hwn*)

LLANC : Doedd y glec yna ddim cymaint . . . . ma' hi'n cilio.

MERCH : Diolch am hynny.

LLANC : 'Di stormydd ganol ha byth yn para'n hir. (*Saib hir eto*)

MERCH : Fyddi di ofn marw ?

LLANC : (*Ar ôl saib fer*) Ma' pawb ofn marw.

MERCH : Dwi ddim !

LLANC : (*Wedi synnu rŵan*) Nac wyt ti ?

MERCH : Wel . . . . dim dest *marw* felly . . . . Fel marw'n 'y nghwsg . . . . ti'n gwbod be dwi'n feddwl.

LLANC : Nac ydw i.

MERCH : Wel . . . . 'di marw'n cyfri dim i mi—ar *ôl* marw . . . . be sy'n digwydd wedyn felly ! . . . . dwi'n hidio ffliwjan am hynny . . . . *sut* bydda i'n marw 'di'r peth.

LLANC : Ma' hynny yni ! . . . . 'Sa well gin i farw'n 'y ngwely nag mewn damwain. Gafodd y prentis o 'mlaen i 'i lectriciwtio sti. Uffar o fflach medda'r hogia . . . . 'i losgi'n ulw . . . . O'dd o'n blydi ffŵl i fynd i weithio ar transfformars a fynta'n ddibrofiad.

MERCH : Ond mi aeth yn sydyn !

LLANC : Y ?

MERCH : Wydda fo ddim am y peth—chafodd o ddim poen felly ?

LLANC : All neb ddeud hynny.

MERCH : (*Yn drist wrth gofio*) Ddim poen yn rhygnu fel 'Mam.

LLANC : Ma' hynny yni . . . .

MERCH : (*Saib*) 'Swn i ddim yn licio marw fel 'Mam . . . . cael 'i byta'n fyw hefo poen a ninna'n gwbod bod hi'n mynd. (*Saib*) A methu gneud dim ynghylch y peth.

LLANC : (*Yn dosturiol rŵan*) Ond mi ddaru hi ddiodda'n ddewr do . . . . ti wedi deud hynny droeon.

MERCH : Pawb yn deud clwydda wrthi bob dydd . . . . bod hi'n edrach yn well . . . . sôn am holides ha, fasa byth yn dŵad . . . .

LLANC : O'dd yn well iddi beidio gwbod . . . .

MERCH : (*Yn fyfyrgar*) Oedd. (*Saib*) Ond mi o'n i'n teimlo weithia wrth ista wrth erchwyn 'i gwely hi, bod hi'n gwbod . . . . ond bod hi'n trïo cadw'r peth oddi wrtha i . . . . a mi chwarson ni'r gêm hyd y diwadd . . . . (*Saib hir eto. Taran dawel yn y pellter. Mae'n troi ato'n sydyn*) . . . . Dyna pam ma' rhaid i ni fwynhau rŵan . . . . ti'n dallt . . . . ? Bob munud ohono fo.

LLANC : Ti'n deud ?

MERCH : (*Yn newid ei hymarweddiad yn hollol*) Pam dyfi di fwstash ?

LLANC : Tisio i mi ? (*Mae'n codi a mynd at y drych sydd ar y mur chwith*)

MERCH : Dwi'n licio dynion hefo mwstash.

LLANC : (*Yn edrych arno'i hun yn y drych*) Dwi'n meddwl y basa fo'n siwtio fi hefyd. (*Ar y sgrîn yn awr, gwelwn luniau sy'n cyfleu meddyliau'r llanc fel y mae'n ei ddychmygu ei hun gyda gwahanol fathau o dyfiant dan ei drwyn. Yn ystod hyn, mae'r llanc yn gosod mwstash dan ei drwyn, ac fe ddylai hwn edrych yn hollol real*)

MERCH : Ac nid rhyw fwstash bach cachu iâr cofia . . . . ond un mawr clyfar fel Zapata . . . . un rhywiol yn cyrlio i lawr dat dy ên di . . . . Ma' dynion hefo mwstash yn 'y nghyrru fi i grynu i gyd !

(*Mae'r llanc yn gwisgo ei siaced am y tro cyntaf ac yn troi a cherdded at y ferch. Yn wir, mae'n edrych dipyn yn wahanol gyda'i fwstash—mwy aeddfed, mwy hyderus. Daw a sefyll ychydig y tu ôl ysgwydd y ferch*)

LLANC : Heia ! (*Mae'n troi i edrych arno gyda golwg ddig arni*)

MERCH : Ble ti wedi bod 'ta ?

LLANC : Dwi'n hwyr ?

MERCH : Ti'n blydi gwbod dy fod ti'n hwyr. (*Mae'n cerdded oddi wrtho*)

LLANC : (*Yn ei dilyn*) Rhyw chwartar awr falla.

MERCH : (*Yn troi i'w wynebu eto*) *Tri* chwartar awr cefndar . . . . Saith ddudon ni . . . . (*Mae'n dangos ei horiawr iddo*) . . . ma' hi rŵan yn chwartar i !

LLANC : (*Heb fod yn wylaidd o gwbwl, yn wir mae'n llawn hyder*) Ia . . . . wel . . . . o'n i braidd yn brysur.

MERCH : Dwi'n siŵr Dduw bod ti'n brysur.

LLANC : A be ma' hynny i fod i feddwl ?

MERCH : A mi wn i'n brysur hefo *pwy* hefyd.

LLANC : Yli, dwi wedi deud wrthat ti bod rhaid i mi weithio'n hwyr . . . . nid hogyn dwi rŵan, dallt . . . . ma' gin i brentis i drenio.

MERCH : A'r beth *dinboeth* yna yn y cantîn.

LLANC : Be ti'n feddwl ?

MERCH : Ma' gin ti honna i'w *threnio* hefyd 'toes, a ma' hi wrth 'i bodd.

LLANC : Gwranda . . . .

MERCH : Gwranda di arna i 'ngwas i . . . . ma' Sali Pritchard yn gweithio'n ych cantîn chi hefyd . . . . a ma' ganddi bâr o llygada gora welist ti rioed.

LLANC : A blydi ceg hefyd—be ddudodd yr hen ast wrthat ti rŵan ?

MERCH : 'Tia befo be ddudodd hi, cefndar !

LLANC : Na, dwi isio gwbod—

MERCH : (*Saib*) Fedri di ddim 'i gadael hi'n llonydd na fedri ?

LLANC : Pwy ?

MERCH : Y sguthan bach 'na sy ar y *till*—dyna i ti pwy.

LLANC : Dwi isio gwbod yn union be ddudodd Sali Pritchard.

MERCH : Ti'n gwadu bod ti'n rhoi lifft iddi bob nos 'ta ?

LLANC : (*Wedi synnu braidd bod y ffaith yma allan*) Pwy ddudodd hynny wrthi ?

MERCH : Ti'n gwadu . . . . dŵad wrtha i . . . . ti'n gwadu'r sglyfath ?

LLANC : Yli, ma'n hen bryd i ti garthu dy feddwl . . . . dwi'n digwydd pasio'i thŷ hi ar ffordd adra . . . . 'sdim bws yn mynd yn agos i'r lle.

MERCH : A mae o'n cymryd dipyn o amsar i ti *basio* hefyd tydi ?

LLANC : Be ti'n awgrymu ?

MERCH : Dim awgrymu, boi—deud !—Ti wedi cael dy weld yn mynd i mewn 'na hefo hi—i'r tŷ !

LLANC : O . . . . dwi'n gweld—dyna sy'n dy boeni di.

MERCH : Ti'n gwadu 'ta ?

LLANC : (*Heriol*) Nac ydw i—pam dylwn i ?

MERCH : Reit ! (*Yn mynd am y drws*) Dwi'n mynd !

LLANC : A mi fydda i'n cael smôc a sgwrs hefo'i gŵr hefyd.

MERCH : Beth ? (*Mae'n stopio'n stond*)

LLANC : A heno 'ma, ges i beint hefo fo . . . . dipyn o foi am gwrw cartra . . . .

MERCH : 'I gŵr hi ?

LLANC : Ddudodd yr hen siswrn ddim bod hi wedi priodi naddo . . . . (*Saib*) Na, fasa hynny ddim yn ffitio'i phlania hi.

MERCH : Ti'n nabod gŵr yr hogan 'ma 'ta ?

LLANC : Nabod o'n iawn—'swn i ddim yn cymryd y byd â'i dwyllo fo.

MERCH : (*Yn teimlo braidd yn annifyr rŵan*) O !

LLANC : Ia . . . . blydi "O !" (*Saib hir*)

MERCH : Ma'n ddrwg gin i.

LLANC : Ddudodd hi'r gweddill wrthat ti 'ta !

MERCH : Pwy ?

LLANC : Sali Pritchard . . . . ddudodd hi ddim mo'r stori arall debyg ?

MERCH : Pa stori arall ?

LLANC : Bod *hi* bron â thorri croen 'i bol isio tro arna i 'i hun.

MERCH : (*Llygaid yn dechrau fflachio eto yn awr*)
Be ti'n feddwl ?

LLANC : Ma' hi'n diodda tydi . . . . sâl isio fo . . . . ddudodd *hi* bod hi wedi gofyn am lifft adra i mi droeon.

MERCH : Ma' gin Sali gar 'i hun.

LLANC : Wrth gwrs bod gynni blydi car 'i hun . . . . a mae o'n cael pynjars yn amal ar diawl yn ôl be ma' hi'n ddeud.

MERCH : Be ti'n awgrymu ?

LLANC : Nid awgrymu del—deud ! Ma' hi'r un fwya tinboeth yn gwaith 'cw a ma' pawb 'di bod yna ond fi.

MERCH : (*Yn ddistaw*) Yr hen ast ! (*Mae'n troi a mynd i sefyll o flaen y drych sydd ar y mur de*)

LLANC : A dyna be sy'n 'i chorddi hi iti fod yn dallt . . . . fi 'di gwrthod hi !

MERCH : Allwn i ddim diodda meddwl bod rhywun arall yn dy gael di.

LLANC : (*Yn cerdded ati ac yn gafael amdani o'r tu ôl*) Allwn i ddim diodda neb arall p'run bynnag. (*Mae'r ddau yn awr yn edrych yn y drych*)

MERCH : Ti'n meddwl 'mod i rhy dew ?

LLANC : E ?

MERCH : Rownd fan hyn. (*Mae'n anwesu ei gwregys a'i phen ôl*)

LLANC : 'Swn i ddim yn deud. (*Maent yn datgysylltu ac yn wynebu ei gilydd*)

MERCH : Ma'r deiet Mayo Clinic 'ma'n dda meddan nhw i mi—ma' bosib colli deg pwys mewn wythnos.

LLANC : (*Yn ei thynnu ato ac yn anwesu ei phen ôl*) Paid â cholli dim.

MERCH : Rhyw bwys ne ddau, dyna i gyd.

LLANC : Dim . . . . Ma' isio lle i afael . . . . 'sa gas gin i fynd i gwely hefo ffrâm beic. (*Mae'r ferch yn toddi i'w anwes. Gwelwn y llanc yn ymbalfalu am y sip ac yn ei agor yn araf*)

MERCH : Ti'n deud petha od weithia.

LLANC : Un od ydw i.

MERCH : Dwi'n licio pobol od. (*Pan fo'r llanc yn rhoi'i law y tu mewn i'w gwisg ar ei chefn, mae'r ferch yn datgysylltu*) Well i ni beidio !

LLANC : (*Syndod braidd*) Be sy'n bod !

MERCH : Dim rŵan !

LLANC : Be sy o'i le ar 'rŵan' ?

MERCH : (*Yn symud at y grisiau*) Wel dim fama 'ta . . . . dim yn sâff fama. (*Mae'r ferch yn edrych i fyny'r grisiau*)

LLANC : Chdi ddudodd na toedd neb yma.

MERCH : (*Yn troi ato*) Ti'n gêm ?

LLANC : (*Yn obeithiol*) Beth ?

MERCH : I fynd fyny 'na ! (*Yn amneidio at dop y grisiau*)

LLANC : (*Yn edrych yn ddifrifol yn awr*) I fyny ?

MERCH : I'r stafell nesa . . . . mi fydd hi'n saffach fanno . . . . neb yn bysnesu !

LLANC : Ti ddim yn licio fan hyn 'ta ?

MERCH : Meddwl dwi 'i bod hi'n hen bryd inni ddringo tipyn.

LLANC : Diawl ! (*Mae'n edrych o'i gwmpas*) Dwi'n dechrau mwynhau fy hun. (*Mae'n dechrau neidio dros ac ar ben y dodrefn. Mae'n sefyll ar ben y bwrdd fel y gwnaeth y ferch ar ddechrau'r ddrama. Saib. Mae'n edrych arni*) Ma'n bosib i ni gael beth uffar o hwyl yn fama sti. (*Mae'n gorwedd ar ei ochr gyda'i benelin ar y bwrdd a'i ben yn pwyso yn ei law*) Be ti'n ddeud ?

MERCH : (*Yn edrych arno braidd yn ddifrifol*) Iawn !

LLANC : (*Yn gorwedd i lawr ar y bwrdd. Saib*) Tyd yma 'ta. (*Saib hir yn awr. Yn y man mae'r ferch yn agor y sip ar y ffrog ac yn dadwisgo trwy ei gollwng o gylch ei thraed. Mae'n awr yn gwisgo dillad isaf. Ar ôl camu o'i gwisg mae'n cerdded yn araf at y llanc. Nid yw'n troi ei ben i edrych arni. Mae'n sefyll wrth ochr y bocs am ennyd, yna'n gorwedd arno wrth ochr y llanc. Ar ôl ysbaid o ddistawrwydd*

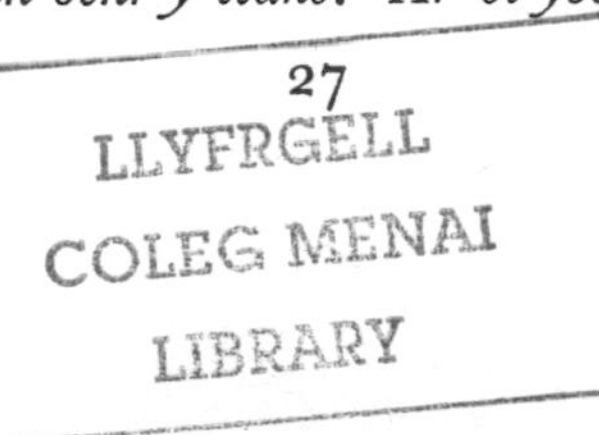

mae'r ddau, gyda'i gilydd, yn troi i wynebu ei gilydd a chofleidio)

(*Ar y sgrîn gwelwn y llanc a'r ferch yn caru'n noeth mewn gwely. Dylai'r ffilm fod wedi ei harafu, a'r cymysgu o un siot i'r llall gyfleu symudiad sy'n ymylu ar fod yn 'ballet'. Defnyddir cerddoriaeth yn gefndir gyda'r cyfan yn cyrraedd uchafbwynt rhywiol. Diflanna'r llun a cheir saib hir. Clywir sŵn trên yn y pellter*)

MERCH : (*Yn hapus iawn*) Trên ! (*Saib*)

LLANC : Ia. (*Saib*)

MERCH : Ma' rwbath neis mewn sŵn trên yn bell yn y nos !

(*Ar ôl saib eto, mae'r llanc yn codi ac yn cerdded at y drych. Nid oes golwg rhy hapus arno. Yn wir mae rhywbeth yn ei boeni. Mae'n cribo ei wallt. Mae'r ferch yn dal i orwedd ar wastad ei chefn yn hollol lonydd fel petai'n cysgu. Ar ôl cribo ei wallt mae'r llanc yn dal i edrych arno'i hun yn hir a myfyrgar. Try yn sydyn ac edrych at y ferch*)

LLANC : Pwy ddysgodd di ?

MERCH : (*Yn ddioglyd*) Beth ?

LLANC : Ti'n gwbod be ydw i'n feddwl !

MERCH : (*Yn freuddwydiol*) Nac ydw i . . . .

LLANC : (*Yn codi ei lais*) O wyt !

MERCH : (*Yn troi ei phen ac edrych arno mewn syndod*) Be sy'n bod arnat ti ?

LLANC : Dwi ddim yn biwritan dallt, ond dwi isio gwbod . . . . dyna i gyd . . . . pwy ? . . . . pryd ?

MERCH : (*Yn codi ar ei heistedd*) Be ti'n falu ?

LLANC : Wnest ti ddim dysgu hynna wrth dorri gwinadd dy draed, naddo . . . . ?

MERCH : Y ?
LLANC : A ti'n gwbod be ma' nhw'n ddeud !
MERCH : Be ma' nhw'n ddeud be ?
LLANC : Am nyrsys.
MERCH : Be ti'n feddwl—nyrsys ?
LLANC : Ti'n nyrs twyt ?
MERCH : Ydw !
LLANC : 'Na fo . . . .
MERCH : 'Na fo be ? (*Yn dechrau colli ei thymer*)
LLANC : 'Da chi'r nyrsys yn . . . . wel . . . . yn gweld petha tydach . . . . pobol mewn gwlâu a ballu?
MERCH : Wel siŵr Dduw bod ni—be arall ti'n ddisgwl ?
LLANC : Dynion yn noeth ac ati . . . .
MERCH : Wel ?
LLANC : Yli . . . . paid â thrïo bod yn ddiniw hefo fi . . . . dwi wedi bod yn hospital dallt . . . . ges i dynnu 'mhendics do—ges i dynnu 'mhendics.
MERCH : O bechod !
LLANC : A nyrs bach ifanc oedd hefo fi dallt . . . . hen ddiawl bach bowld . . . .
MERCH : Taw deud. (*Mae'n gwenu yn awr*)
LLANC : Dwy ohonyn nhw . . . . yn siafio fi o gwmpas . . . . 'y mhetha. (*Mae'r ferch yn dechrau chwerthin*) . . . . ia, 'na ti . . . . dyna fel oeddan nhw . . . . yn gigyls i gyd . . . . wrth 'u blydi bodd. (*Yn gweiddi yn uchel. Mae'r ferch yn peidio â chwerthin. Ysbaid hir o ddistawrwydd*)
MERCH : Oeddat ti wrth dy fodd tybad ?
LLANC : Dyna'r pwynt dwi'n drïo 'i neud 'tê . . . . ti mewn lle i gael hwyl twyt . . . . i neud petha . . . .

MERCH : Wela i . . . . (*Mae'n dod i lawr oddi ar y bocs a cherdded at ei gwisg*) . . . . Dyna sy'n dy gorddi di ia ? (*Mae'n dechrau gwisgo mewn distawrwydd*)

LLANC : Wel . . . . ma' gin i hawl i gael gwybod 'toes ? (*Nid yw'r ferch yn ateb, dim ond gwisgo gyda golwg wedi llwyr sylcio arni hithau'n awr*) Ma' rhaid inni fod yn onast 'toes . . . . onast hefo'n gilydd cyn cychwyn.

MERCH : Ddudis i rioed 'mod i'n fyrjin, naddo ?

LLANC : Ddudist ti rioed bod chdi wedi bod hefo neb arall chwaith.

MERCH : Wnest ti ddim gofyn i mi.

LLANC : Am 'y mod i'n dy drystio di—dyna ti pam.

MERCH : P'run bynnag, doedd y lleill ddim yn cyfri.

LLANC : Cyfri digon i ddysgu be oedd be i ti.

MERCH : Ma' merch yn gwbod yn reddfol sut a be i'w wneud—amgenach na dyn.

LLANC : 'Dan ni ddim yn dwp chwaith . . . . dwi'n gwbod pryd ma' merch wedi . . . . (*Mae'n petruso*)

MERCH : Wedi be ?

LLANC : (*Saib*) Wedi cael profiad !

MERCH : Sut ?

LLANC : Be ti'n feddwl 'sut' ?

MERCH : Sut wyt ti'n gwbod 'mod i *wedi cael profiad* . . . . hefo pwy ti'n 'nghymharu i ?

LLANC : Beth ?

MERCH : Tyd 'laen . . . . dwi'n brofiadol medda chdi . . . . wel ma' rhaid dy fod ti wedi cael tro ar rywun—llai profiadol felly—iti wbod y gwahaniaeth . . . .

LLANC : Paid â siarad lol.

MERCH : (*Chwerthin*) Ne falla dy fod ti wedi cael rhywun hollol ddibrofiad ! . . . . Tyd ! Dŵad wrtha i . . . . sut wyt ti'n gwbod ? . . . . falla bod gin ti res ohonyn nhw—bob un mewn *league* wahanol 'lly ! *First division, second division, third division* . . . . ne hyd yn oed y *Caernarfon and District League* !

(*Mae saib fer rŵan fel y mae'r ddau yn rhythu ar ei gilydd. Yna mae'r llanc a'r ferch yn dechrau gwenu, ac yna'n byrstio allan i chwerthin yn uchel*)

MERCH : (*Yn distewi'n sydyn*) Sh ! (*Mae'n gwrando tra bo'r llanc yn dal i chwerthin. Mae'n codi ei llais nawr*) Bydd distaw ! (*Mae yntau'n distewi wrth sylwi ei bod yn gwrando ar rywbeth. Saib fer fel y mae'r ddau'n gwrando*)

LLANC : Be glywi di ?

MERCH : (*Golwg braidd yn ddifrifol arni eto*) Rwbath . . . . (*Dal i wrando*)

LLANC : (*Yntau fel petai'n sylweddoli bod arni ofn*) Be ti'n feddwl—rwbath ?

MERCH : (*Yn dal i wrando*) Wn i'm . . . . llais ? . . . . rhywun yn galw ? . . . .

LLANC : (*Yn cerdded at y drws*) 'Sdim peryg bod nhw yna o hyd. (*Mae'n agor y drws a gwrando*)

MERCH : Na ! Cau hwnna ! . . . . (*Mae tinc o bryder ac ofn yn ei llais*)

LLANC : Dim ond edrach o'n i . . . . (*Mae'n cau'r drws*)

MERCH : Awn ni ddim ffordd yna . . . . yn bendant awn ni ddim i lawr ffordd yna eto. (*Mae'n edrych i fyny'r grisiau eto*) . . . . Byth eto !

LLANC : 'Sneb lawr yn fanna beth bynnag . . . . ma' nhw 'di mynd . . . . diolch am hynny. (*Mae'n sylwi fod y ferch yn edrych i gyfeiriad yr oruwch

ystafell. Mae yntau hefyd yn edrych i fyny. Saib)
O fanna ti'n meddwl ?

MERCH : Synnwn i fawr. (*Saib o wrando eto*)

LLANC : Chlywa i ddim.

MERCH : Mi glywis i rwbath . . . .

LLANC : (*Yn ddistaw ond ychydig yn ofnus ei hunan yn awr*) Rhen ddistia 'na'n chwyddo debyg . . . . ma' hynna'n digwydd mewn gwres.

MERCH : Nid sŵn 'peth' oedd o . . . . ond 'rhywun'. (*Mae'n eistedd*)

LLANC : (*Yn eistedd wrth ei hochor hi*) Yn gweiddi felly?

MERCH : Yn galw ! . . . . (*Mae'n edrych o gwmpas eto yn bryderus*) . . . . Pam 'dan ni yma ?

LLANC : Chdi oedd isio . . . . dy syniad di oedd o.

MERCH : O ble duthon ni 'ta ?

LLANC : (*Saib. Mae'n methu â deall*) Wyt ti'n iawn ? (*Yn gafael yn ei llaw*)

MERCH : O ble duthon ni i fan hyn !

LLANC : (*Yn rhyw chwerthin yn ansicr*) O'r gwaelod 'na 'tê . . . . o'r stafell isa 'na . . . . be 'san't ti ?

MERCH : Ond pam y tŵr yma—pam dduthon ni i'r tŵr 'ma o gwbwl ?

LLANC : (*Saib*) I ddringo i'r top am wn i.

MERCH : (*Saib*) A be wedyn . . . . ?

LLANC : Wel . . . . gawn ni weld cawn . . . . edrach o gwmpas . . . . uwchlaw pawb-a-phopeth . . . .

MERCH : Mi ges i freuddwyd neithiwr . . . .

LLANC : (*Nid yw'n sicr o'r sefyllfa o gwbl*) Do ?

MERCH : O'n i'n rhedeg trw'r cae ŷd 'ma ar ôl iâr fach yr ha . . . . un fawr frown â smotia coch ar 'i hadenydd hi . . . . rhuthro drw'r tyfiant nes oedd yr ŷd yn chwipio 'mocha fi . . . . weithia o'n i yn 'i cholli hi . . . . ond yn fuan iawn yn dŵad o hyd iddi bob tro . . . . a hitha —rhen gnawas bach . . . . yn hedfan yn bryfoclyd ryw lathan ne ddwy o 'mlaen i . . . . Dyma fi'n 'i cholli hi eto . . . . gorfod chwilio mwy tro hwn, ac yna (*Saib*) . . . . dyma fi'n 'i gweld hi . . . .

LLANC : (*Yn sylwi ar yr atgasedd yn ei hedrychiad*) Ia ?

MERCH : O'dd hi wedi glanio ar wynab y person 'ma o'dd yn gorwadd . . . . fanno . . . . wastad 'i gefn yn yr ŷd . . . . yn crynu 'i hadenydd yn y pant bach 'na rhwng y trwyn a'r bocha . . . . A dyma fi'n 'mestyn amdani'n ara bach, a 'nwylo'n gwpan . . . . 'i dal hi . . . . a mi ces i hi . . . . o'n i'n gwbod 'mod i wedi'i chael hi achos o'n i'n 'i theimlo hi'n cosi cledar 'y llaw, ond . . . . fedrwn i ddim . . . . (*Mae'n oedi*)

LLANC : Fedrat ti ddim be ?

MERCH : Fedrwn i ddim tynnu 'nwylo ata'n ôl . . . . roeddan nhw wedi . . . . glynu yng nghroen y gwynab 'ma.

LLANC : Glynu.

MERCH : A dyna pryd digwyddodd o.

LLANC : Be ?

MERCH : Mi rois i un plwc sydyn a mi ddaeth croen un ochor i gyd yn rhydd . . . . plisgio i ffwrdd nes oedd yna ddim byd ar ôl ond esgyrn coch . . . . a thylla gwag du.

LLANC : (*Saib*) Desu ! . . . . (*Saib*) . . . . Be oedd o ? . . . . Y person yma . . . . dyn 'ta dynas ?

MERCH : Dyna'r pwynt . . . . wn i ddim . . . . o'n i'n meddwl weithia ma' 'Mam o'dd 'na . . . . tro arall, rhywun diarth, (*Saib*) . . . . a weithia . . . . chdi !

LLANC : (*Ar ôl saib, yn codi'n sydyn*) Uffar o freuddwyd ddwedwn i. (*Mae'n mynd at y drych ac yn edrych ar ei wyneb*) Ma'n rhaid i mi neud rwbath ynglŷn â'r *pimples* 'ma.

MERCH : Fyddi di'n breuddwydio ?

LLANC : (*Tan wasgu ploryn*) Y ?

MERCH : Breuddwydio ! Fyddi di'n breuddwydio felna?

LLANC : Breuddwydio, byddaf ! Ond nid felna . . . . nid mor uffernol o anghynnas â hynna . . . . ti'n gwbod 'mod i'n dechra gwynnu ?

MERCH : Beth ?

LLANC : Dau ne dri o flew gwyn yn 'y ngwallt i—rochor fan hyn. (*Mae'n cribo ei wallt eto*)

MERCH : Henaint !

LLANC : (*Yn troi ati â gwên ar ei wyneb*) Mi freuddwydis i unwaith 'mod i'n rhedeg trw gae !

MERCH : Wnest ti ?

LLANC : Cae rwdins oedd hwn, a mi o'n inna'n cwrsio rwbath hefyd.

MERCH : (*O hyd yn ddifrifol*) Oeddat ti ? (*Mae'r bachgen yn cerdded ati yn araf*)

LLANC : Ond nid glöyn byw oedd o chwaith.

MERCH : Be ?

LLANC : Uffarn o fodan noethlymun gorcyn a brestia ganddi fel dau bot llaeth cadw.

MERCH : (*Yn gweld ei fod yn tynnu ei choes*) Y rwdlyn !

LLANC : (*Mae'n codi ei ddwylo nawr fel pe bai yn crafangu amdani*) A mi o'n i'n gwbod be o'n i'i isio ar ôl 'i dal hi hefyd.

MERCH : (*Yn ymuno yn y chwarae*) Tasat ti'n gallu'i dal hi. (*Mae'n rhedeg o gylch y dodrefn gyda'r llanc yn ei *hymlid. Bydd digon o hwyl a chwerthin yn yr olygfa yma*)

LLANC : Matar o amsar—dyna i gyd.

MERCH : (*Yn chwerthin yn uchel*) 'Sgin ti ddim gobaith.

LLANC : (*Yn aros yn ei unfan. Mae hithau'n aros yn ei hunfan nepell i ffwrdd*) Yn ara deg ma' dal iâr. (*Mae'n cerdded yn araf tuag ati*)

MERCH : (*Yn cerdded yn araf oddi wrtho*) Rhaid i ti godi'n fora i ddal yr iâr yma, mêt !

LLANC : Dim os wyt ti'n dallt yr iâr.

MERCH : Ti'n meddwl ?

LLANC : Gwbod yn union be ma' hi'n mynd i'w neud nesa.

MERCH : Dŵad ti ! (*Ond yn groes i'r hyn y mae'r llanc yn ei ddisgwyl, mae'r ferch yn neidio ar y grisiau. Mae'r llanc yn aros yn stond yn ei unfan gyda golwg o syndod a phryder ar ei wyneb*)

LLANC : (*Yn gweiddi*) Lle ti'n mynd ?

MERCH : (*Yn heriol*) Pwy sy'n mynd i ddal pwy 'ta ? (*Yn camu'n ôl i fyny'r grisiau yn araf*)

LLANC : Ond dim rŵan . . . .

MERCH : Tyd ! . . . . Tyd os y meiddi di. (*Mae saib hir yn awr fel y mae hi yn sefyll ar ganol y grisiau ac yn edrych arno. Mae'r llanc fel talp o farmor yn rhythu arni. Mae'r ferch yn dechrau bagio eto yn araf i fyny'r grisiau*)

LLANC : (*Ar dop ei lais*) Paid ! (*Mae'n aros a throi ei phen i edrych o'i hôl i fyny'r grisiau. Mae pob gwên wedi diflannu unwaith eto yn awr*) Yn enw'r Nefoedd, tyd lawr !

MERCH : Ma' rhaid inni fynd ryw dro.

LLANC : Wyddost ti ddim be sy 'na.

MERCH : Ma' gin i syniad . . . .

LLANC : Mi alla fod yn ddigon inni . . . .

MERCH : (*Yn troi ato, ac yn ymbilgar braidd*) Tyd !

LLANC : Fedra i ddim.

MERCH : (*Mae'n estyn ei dwylo iddo*) Tyd . . . . law yn llaw . . . . awn ni i fyny gyda'n gilydd.

LLANC : Ond ma' rhaid inni drafod y peth i ddechra —ma'n rhaid i ni drefnu.

MERCH : (*Saib*) Ddôi di wedyn 'ta ?

LLANC : (*Saib hir cyn ateb*) Os . . . .

MERCH : Ia ?

LLANC : Os bydd y ddau ohonan ni . . . . yn cyd-weld felly.

MERCH : 'Di hynna'n deud dim . . . . elli di wrthod am byth.

LLANC : Dim am byth . . . . ti'n gwbod bod hynny'n amhosib . . . . tyd lawr am funud.

MERCH : Dwi'n gwbod bod rhaid i *mi* fynd—alla i ddim disgwyl fawr mwy. (*Mae'n edrych yn hiraethus i fyny'r grisiau*) . . . . hyd yn oed taswn i'n gorfod mynd i fyny fy hun. (*Mae'n gwneud osgo fel petai am fynd*)

LLANC : Ond gad i ni drefnu 'ta.

MERCH : (*Saib eto. Mae'n troi i edrych arno*) Trefnu ?

LLANC : Ma' rhaid gneud hynny . . . . Fasa neb yn mynd i fyny fanna heb drefnu . . . . a pharatoi.

MERCH : Ti'n gaddo 'ta ?

LLANC : Dwi'n gaddo ! (*Mae'n cerdded i lawr yn araf tuag ato*)

MERCH : (*Tan gerdded*) Wnest ti rioed dorri dy air ar ôl gaddo . . . . (*Pan yw'n cyrraedd y gwaelod mae'n taflu ei freichiau amdani fel petai newydd osgoi rhyw berygl mawr*)

LLANC : Paid byth â gneud hynna eto . . . . ti'n dallt ? . . . . Byth !

MERCH : (*Yn ei wasgu'n dynn*) Allwn i byth fynd hebddot ti . . . . dwi'n siŵr o hynny.

LLANC : Ma' rhaid i ni fod gyda'n gilydd . . . . yr holl ffordd i'r top.

MERCH : I'r stafell ucha !

LLANC : (*Yn ei gwthio ychydig oddi wrtho i edrych arni*) Ond does dim rhaid rhuthro nac oes ?

MERCH : Ond ma' rhaid mynd . . . . pam wyt ti wedi newid dy gân . . . . ?

LLANC : (*Yn ei gollwng*) Tydw i ddim.

MERCH : Wyt ! Dwi'n cofio pan ddaethon ni mewn i fan hyn gynta . . . . roeddat ti ar dân i fynd fyny.

LLANC : (*Saib. Mae'n cerdded at y drych ac edrych iddo*) Nid ar dân i fynd o'n i, ond ar dân i *adal*.

MERCH : Be ydi'r gwahaniaeth ?

LLANC : Gwahaniaeth mawr ! . . . . (*Mae'n troi ac edrych o gwmpas*) . . . . O'n i'n casáu fan hyn . . . . methu gwbod be i'w neud . . . . ofn y lle . . . . (*Mae'n cerdded o gwmpas*) . . . . roedd 'na rhyw deimlad rhyfadd yma . . . . ond ma' hwnnw wedi mynd erbyn hyn . . . . dwi'n nabod fan hyn rŵan, ti'n dallt,—bob twll a chongol ! . . . . Dwi ofn dim na neb yma am 'mod i'n dallt popath. (*Saib fel y mae'n edrych i fyny*) . . . . ond 'sgin i run syniad am fancw nacoes . . . . lle diarth . . . . lle peryg falla . . . . (*Saib*) unwaith awn ni i fanna fydd dim troi'n ôl . . . . (*Mae'n troi i edrych ar y ferch*) . . . . ti'n dallt hynny twyt ?

MERCH : Ydw !

LLANC : (*Yn ei thynnu ato eto*) Felly, gad i ni neud yn fawr o be 'sgynnon ni am chydig . . . . blasu'r cyfan tra 'dan ni'n cael cyfla . . . . (*Mae'r ddau yn gafael am ei gilydd yn awr ac yn symud yn araf yn ôl a blaen fel pe baent mewn rhyw ddawns freuddwydiol*) . . . . dwy galon yn curo . . . . y gwaed yn byrlymu trwy'n gwythienna ni . . . . clecian coed yn llosgi a chawod sydyn o law ar ddiwrnod poeth . . . . caru nes bod o'n brifo . . . . brifo nes bod o'n garu . . . . dowc gynta'r tymor . . . . torri ias nes bod dy geillia di'n rhwygo . . . . caru'n din wal . . . . tynnu amdanan yn y grug . . . . staen llus ar 'y nhrôns i . . . . ogla mawn . . . . ogla colcarth . . . . ogla chwys mewn ysfa . . . . teimlo'r croen yn llyfn a phoeth . . . . chawn ni ddim cyfla fel hyn eto . . . . Byth! . . . . byth! . . . . byth! . . . .

MERCH : (*Bron ymgolli yn y foment*) Ond ma' rhaid i ni drafod . . . .

LLANC : (*Fel petai ar goll yn llwyr yn awr*) . . . . Byth ! . . . . byth ! . . . .

MERCH : A threfnu petha . . . .

LLANC : Ymdrybaeddu ynddo fo . . . .

MERCH : (*Mae rhyw dristwch eto yn ei llais*) Dyna be ddudist ti . . . .

LLANC : (*Yn datgysylltu yn sydyn*) Ma' gin i flys prynu moto beic—cythral o un mawr clyfar . . . .

MERCH : Be wnei di â pheth felly ?

LLANC : Suzuki pum cant.

MERCH : Ond ma' gin ti gar.

LLANC : Mi wertha i hwnnw. (*Mae'n llawn brwdfrydedd yn awr*) Ia, dyna be wna i . . . . a mi bryna i uffar o sleifar o un—newydd sbon danlli grai ! . . . .

(*Ar y sgrîn yn awr, cawn ddilyniant i gyfleu rhyw fath o ffantasi moto beic—bron mor rhamantus â hysbyseb deledu*)

MERCH : Ma' nhw'n beryg bywyd !

LLANC : Dwy helmet a *goggles* . . . . chdi tu ôl a thân arni . . . . (*Mae'n dynwared gyrru moto beic*)

MERCH : Ddo *i* ddim, ma' hynna'n bendant i ti.

LLANC : Gwynt yn chwipio'n bocha ni—

MERCH : (*Yn gweiddi*) Ddo i ddim !

LLANC : Tunnall ar lôn bôst !

MERCH : (*Ar dop ei llais*) Alla i ddim !

LLANC : (*Saib o syndod*) 'Sdim rhaid i ti fod ofn . . . .

MERCH : Dim ofn y blydi beic ydw i . . . . trïa ddallt. (*Mae'r dilyniant ffilm yn peidio*)

LLANC : Dallt be ?

MERCH : 'Nest ti addo trafod, do?

LLANC : Ond ma' hi ddigon buan i hynny . . . .

MERCH : Ma' hi lawar rhy hwyr 'ngwas i. (*Mae'n edrych ar y llawr fel petai arni ofn edrych ym myw ei lygaid*)

LLANC : Be ti'n feddwl rhy hwyr ?

MERCH : Ma' *rhaid* i ni ddringo—'sgynnon ni ddim dewis . . . . (*Saib*) . . . . 'sgin *i* ddim dewis beth bynnag.

LLANC : Wrth gwrs bod gin ti ddewis . . . . ma' gin pawb ddewis . . . . all neb dy orfodi di i wneud dim yn erbyn dy 'wyllys . . . . *ni* pia'r dewis, neb arall.

MERCH : (*Yn codi a mynd at y drych*) Paid â bod mor uffernol o 'hen-ffash' nei di? (*Mae'n sefyll o flaen y drych ac edrych arni hi ei hun*) Fuo gynnon ni rioed ddewis—fydd ganddon ni ddim chwaith !

LLANC : Madda i mi os ydw i'n dwp.

MERCH : Nid twp—diniwad ! Wyt ti ddim yn sylwi fod 'na rywbeth o'i le ?

LLANC : Nac ydw i.

MERCH : Ti ddim yn teimlo hynny ?

LLANC : Ddylwn i ?

MERCH : Dwi ddim yn gwbod. (*Mae'n troi eto i wynebu'r drych*) . . . . rhyw feddwl o'n i y basat ti'n gallu synhwyro'r peth. (*Saib*) . . . . gan ma' ti ydi'r tad ! (*Saib hir fel y mae'r llanc yn edrych arni gyda chymysgedd o benbleth a syndod*)

LLANC : Be ddudist ti ?

MERCH : (*Saib*) Dwi'n disgwl !

LLANC : (*Saib*) Be uffar ti'n feddwl—disgwl ?

MERCH : Llyncu pry . . . . magu mân esgyrn . . . . clefyd twll lludw . . . . galw di o be fynnot ti . . . . ond y ffaith syml ydi bod gin i fabi fewn yn fan hyn. (*Mae'n rhoi ei dwylo ar ei bol gan ddal i edrych yn y drych*)

LLANC : (*Yn ddistaw a phoenus*) Ond . . . . ma' hynny'n amhosib . . . .

MERCH : Mi fydd gynnon ni ganol gaea.

LLANC : (*Yn codi ei lais mewn panic*) Meddwl wyt ti . . . . camgymryd . . . .

MERCH : Fuo fi rioed mor sicr o ddim . . . . dwi wedi methu ddeufis yn olynol.

LLANC : Ond sut galla fo ddigwydd ? (*Yn gweiddi bron yn awr*) Sut blydi galla fo ? (*Mae'r llanc yn disgwyl i'r ferch ateb. Nid yw yn dweud dim ond rhythu fel delw lonydd i'r drych*)

LLANC : Ti 'nghlŵad i . . . . fedra'r peth ddim digwydd . . . . mi fuon ni mor ofalus.

MERCH : Mi nath, do ?

LLANC : (*Yn mynd ati a'i throi i'w wynebu*) Ond sut ?

MERCH : (*Mae'n amlwg ei bod yn ceisio cuddio rhywbeth*) Ma' petha felna'n digwydd weithia.

LLANC : Nid dyna ddudist ti naci . . . . mynd ar y bilsan . . . . dim byd i boeni . . . . berffaith sâff . . . . dyna ddudist ti, 'tê ? (*Mae'r bachgen yn gafael yn ei breichiau a'i gwasgu dan deimlad*)

MERCH : Paid ! Ti 'mrifo fi !

LLANC : Ond dyna ddudist ti'r *bitch* glwyddog. (*Mae bron mewn sterics yn awr*)

MERCH : Gollwng fi ! (*Mae'n ei rhyddhau ei hun*)

LLANC : Oedd dim bai arna i . . . . ti 'nghlŵad i . . . . (*Mae distawrwydd hir yn awr*)

MERCH : 'Nes i stopio'u cymryd nhw.

LLANC : Y ?

MERCH : (*Saib*) Y bilsan ! . . . .

LLANC : Be ti'n feddwl ?

MERCH : Es i odd' arni !

LLANC : Be ddiawl ti'n feddwl ?

MERCH : (*Yn fyfyriol yn awr fel petai'n cofio am rywbeth*) Darllan yr holl betha 'ma—hyd yn oed y doctoriaid yn deud . . . .

LLANC : Deud be ?

MERCH : Y peryglon . . . . cansar . . . . bwyta rhywun yn fyw . . . . (*Distawrwydd hir yn awr*) . . . . (*Mae'n troi i'w wynebu eto*)

MERCH : (*Yn ddistaw ac yn araf*) Ti'n dallt twyt ?

LLANC : (*Ar ôl saib hir*) Mi blydi lladdith 'Mam fi.

MERCH : Allwn i ddim gwynebu hynny ! (*Gyda dirmyg*)

LLANC : A mi all fod yn ddigon i'r hen ddyn ! (*Saib. Mae'n cerdded yn araf o gwmpas y llwyfan*) Be ddiawl 'na i rŵan ?

MERCH : 'Dio ddim yn ddiwadd y byd nac ydi ?

LLANC : Mi fydd yn ddiwadd byd nacw . . . . mi fydd 'na uffar o le yn tŷ ni.

MERCH : Nefoedd ! Tyfa i fyny, 'nei di ?

LLANC : Ma' hi'n iawn arnat ti . . . . Be 'di'r ots gan dy dad am ddim . . . . mae o fwy yn 'i lorris nag ydi o adra . . . .

MERCH : Fasa ddim ots gin i be fasa fo'n ddeud.

LLANC : Mi alla i 'i chlŵad hi rŵan yn rhefru . . . . (*Saib*) . . . . Fedri di ddim cael gwarad o'r peth ?

MERCH : Be ?

LLANC : Ma' gin ti gontacts 'toes—fel nyrs !

MERCH : Be ti'n feddwl ?

LLANC : Ti'n gwbod be uffar dwi'n feddwl . . . . ma' 'na ffyrdd 'toes . . . . a ti'n ganol y petha —tablets ! . . . . *injections* ! . . . . rwbath !

MERCH : (*Saib hir o ddistawrwydd*) Dwi'n dy ddallt di'n iawn !

LLANC : Ffeindio'r doctor iawn . . . . a ti'n nabod digon twyt . . . . 'sdim rhaid i neb wbod.

MERCH : (*Saib*) 'I ladd o ti'n feddwl ?

LLANC : Paid â siarad mor blydi hurt.

MERCH : (*Yn codi ei llais*) 'I fwrdro fo !

LLANC : Yli, gwranda . . . .

MERCH : (*Yn gweiddi*) Blydi llofrudd !

LLANC : Cael gwarad ohono fo . . . . cyn iddo fo ddechra.

MERCH : Byth !

LLANC : Nid ni fydd y cynta . . . .

MERCH : (*Bron mewn sterics*) Byth ! . . . . ti 'nghlŵad i . . . . byth ! . . . . byth blydi bythoedd !

LLANC : Be ddiawl arall fedran ni neud ?

MERCH : (*Saib*) 'I gadw fo . . . . dyna i ti be . . . . ma' fo'n fama. (*Yn rhoi ei llaw ar ei bol*) . . . . tu fewn i mi . . . . yn rhan ohona i . . . . fi pia fo . . . . ti ddim yn dallt ?

LLANC : (*Ar ôl saib hir*) Chdi falla !

MERCH : Be ?

LLANC : Dwi ddim yn gwbod, nacdw ?

MERCH : Ddim yn gwbod be ?

LLANC : Ma' fi pia fo !

MERCH : Be ddudist ti ?

LLANC : Fedar neb brofi na fedar . . . . ?

MERCH : (*Tymer*) Y diawl diegwyddor . .

LLANC : Mi ddudist ti dy hun ma' dim fi oedd y cynta . . . .

MERCH : (*Gwyllt*) Dos o 'ngolwg i'r bastard !

LLANC : Fydda i byth yn gwbod na fydda ?

MERCH : (*Cynddeiriog*) Fasa'n well gin i fagu ar gongol stryd na dy gael di'n dad iddo fo ! (*Distawrwydd hir yn awr. Mae'r ddau â'u cefnau at ei gilydd*)

LLANC : Fel'na bydd pobol yn siarad, 'tê . . . . dyna be fyddan nhw'n feddwl . . . .

(*Nid oes dim ymateb gan y ferch. Fe wêl y gynulleidfa ei bod dan deimlad mawr. Mae'r dagrau yn llifo i lawr ei gruddiau*)

LLANC : (*Yn ddistaw*) Fydda i byth yn gwbod na fydda . . . . ?

MERCH : Ond mi ydw i.

LLANC : Tydi dynion byth yn sâff ma' nhw pia fo.

MERCH : Elli di ddim cymryd 'y ngair i . . . . ? (*Saib*) . . . . fuo 'na neb ar d'ôl di. (*Saib. Mae'r llanc yn dechrau dod ato'i hun*) . . . . Do'n i ddim isio neb ar ôl dy gael di. (*Mae'r llanc yn troi ati rŵan*)

LLANC : Ma' rhaid inni drefnu! (*Nid yw'n troi i'w wynebu*) . . . . dwi'n gwbod 'y nghyfrifoldeb . . . .

MERCH : Dwi isio mwy na chyfrifoldeb . . . . (*Mae'r ferch yn cerdded at y grisiau ac yn edrych i fyny*)

LLANC : Dwi'n meddwl y byd ohonot ti—ti'n gwbod hynny. (*Saib. Yn y man mae'r ferch yn troi i'w wynebu*) Ma'r amsar wedi dŵad 'ta.

MERCH : (*Saib. Difrifol*) Dwi'n credu'i fod o.

LLANC : Ti'n sâff ma' dyna ti'i isio ?

MERCH : Berffaith sâff !

(*Mae'r llanc yn edrych ar y grisiau*)

MERCH : A thitha ?

LLANC : Oes 'na ffordd arall ?

(*Mae'r ddau yn edrych ar ei gilydd mewn distawrwydd llethol. Fel dau gerflun heb symud gewyn. Yn y man mae'r ferch yn rhoi ei throed ar y gris isaf, mae'r llanc yn galw*)

Aros !

(*Mae'r ferch yn dringo'r grisiau'n araf. Nid yw ef yn symud, dim ond edrych arni yn ofnus a phryderus. Hanner ffordd i fyny'r grisiau, mae'n troi i edrych arno. Mae'r llanc yn rhoi ei droed yn ansicr yn awr ar y gris isaf ac yna'n dechrau dringo yn araf. Wedi iddo gyrraedd y ferch, maent yn cydio dwylo ac yna'n cerdded law yn llaw yn araf i fyny'r grisiau. Mae golwg ofnus ac ansicr iawn arnynt. Cyn cyrraedd y top, fe dywyllir y llwyfan a daw'r llenni i lawr*)

ACT II

GOLYGFA :

Yr ystafell uwchben. Gan nad oes fawr o wahaniaeth (mewn siâp na chynnwys) rhwng un ystafell o'r Tŵr a'r llall, yr un yw'r olygfa ag o'r blaen. Pan gyfyd y llen mae'r llwyfan eto'n dywyll. Cryfheir golau melyn y tro hwn, i greu argraff bod y golau'n llenwi'r ffenestr ac yna'n llifo i mewn a llenwi'r ystafell. Gofaler nad yw'r golau yma'n rhy gryf. (Yn wir, gorau'n y byd os yw'r gynulleidfa'n cael ychydig o drafferth i sylwi am ychydig beth sydd wedi digwydd i'r ferch pan ddaw i mewn). Yn yr un modd, ac ar yr un pryd, clywir a chryfheir y miwsig fel o'r blaen. Ymhen ychydig eiliadau egyr y drws a daw'r ferch i mewn. Mae'r miwsig yn peidio. Nid merch ifanc, llawn brwdfrydedd ac emosiwn ydyw bellach, ond gwraig aeddfed ganol oed, ac wedi twchu braidd gyda'r blynyddoedd.

Mae'n edrych yn oeraidd o amgylch yr ystafell cyn mynd at y lamp ar y mur a'i chynnau. Gwelwn yn glir yn awr ei bod wedi gwisgo'n weddol foethus fel petai wedi bod allan i swper. Mae siôl ffasiynol dros ei hysgwyddau. Mae'n ochneidio.

GWRAIG: Be ddiawl dwi'n neud yn fama ?
(*Mae'n taflu ei siôl ar y grisiau ac yna yn edrych o gwmpas yr ystafell yn llawn diflastod*) Taswn i ond wedi gwrando ! (*Mae'n eistedd ar focs a chicio ei hesgidiau i ffwrdd*) Blydi byrbwyll ! (*Mae'n tynnu ei chlustdlysau. Dylai pob osgo o'i heiddo gyfleu syrffed llwyr. Yn y man daw'r llanc i mewn. Mae yntau hefyd erbyn hyn wedi aeddfedu yn ŵr canol oed, ychydig yn foliog, a'i wallt yn prysur fritho. Lled ffurfiol yw ei ddillad yntau hefyd, ac y mae'n*

eistedd nepell i ffwrdd oddi wrth y wraig heb dynnu ei gôt fawr hyd yn oed. Er nad yw wedi meddwi, mae ei osgo'n cyfleu ei fod wedi cael dropyn yn ormod. Nid yw'r wraig yn cymryd yr un sylw ohono—dim ond tynnu clipiau o'i gwallt etc. Ceir distawrwydd hir cyn i'r gŵr dorri gwynt)

GWRAIG: Sglyfath !

GŴR: Dwi wedi cae llond cratsh !

GWRAIG: Ti'n deud wrtha i.

GŴR: (*Yn torri gwynt eto*) Dyna welliant. (*Torri gwynt eto*)

GWRAIG: Nefoedd—oes rhaid i ni ddiodda hynna trw'r nos ?

GŴR: Dwi'n iawn rŵan—'di llacio trwydda. (*Mae'n codi a thynnu ei gôt fawr ac yn mynd a'i gosod yn daclus ar ganllaw y grisiau. Mae'n oedi ac edrych i fyny tua'r brig. Erys am eiliad fel petai'n gwrando, yna daw'n ôl i sefyll wrth ei focs*)

Dyna un peth da am D.J.—'dio byth yn brin o'i lysh.

GWRAIG: Doedd ganddo fawr o ddewis nac oedd—dim ffor roeddat ti'n helpu dy hun.

GŴR: (*Yn rhoi ei ddwylo ar ei fol ac edrych arno*) Mi fydd rhaid i mi golli pwys ne ddau wsnos nesa 'ma.

GWRAIG: (*Yn codi a mynd at y ffenestr*) Yfad 'i wisgi fo fel tasa fo ar fynd allan o ffasiwn. (*Mae'n eistedd ar focs sydd wrth y drych yn union fel petai'n eistedd o flaen bwrdd ymbincio mewn stafell wely*)

GŴR: (*Yn lled wenu*) Welis i rioed mono mewn hwylia cystal . . . . Be ti'n ddeud ? (*Nid yw'n ateb, dim ond dechrau glanhau ei cholurwaith gyda phapur siaan*) Glywist ti'r stori 'na gynno fo am y boi 'na'n gwerthu'r teits ?

GWRAIG: (*Yn aros*) A be am y blydi stori 'na gin ti am y nyns ?

GŴR : (*Gwên fawr*) Oeddat ti'n licio hi ?

GWRAIG: O'n i ddim yn gwbod lle i roi fy hun o gwilydd —dduda i hynna wrthat ti am ddim.

GŴR : Fo ddechreuodd !

GWRAIG: Dim ond llathan s'isio roid i ti . . . .

GŴR : 'Nes i ddim agor 'y mhig nes iddo fo sôn am y *commmercial traveller* 'na.

GWRAIG: O'dd 'i stori fo fath â rwbath o'r *Tyst* i gymharu â chdi. (*Mae'r gŵr yn chwerthin*) Ia, chwertha . . . . ti run fath bob blydi tro—fedrwn i ddim edrach ym myw llygaid 'i wraig o am hydoedd wedyn.

GŴR : Mi nath hitha chwerthin hefyd.

GWRAIG: Do ar hyd 'i thin—be arall fedra hi neud ?

GŴR : A welist ti D.J. yn rwlio—wrth 'i fodd.

GWRAIG: Mi oedd ynta wedi cael llond ceubal hefyd.

GŴR : (*Yn fyfyriol*) Ges i o heno dwi'n meddwl . . . . Sâff i ti . . . . dim bariars . . . . o'dd o'n deud petha . . . . ti'n gwbod . . . . preifat felly . . . . personol !

GWRAIG: Mi ddyfarith fory !

GŴR : (*Yn codi*) Roeddan ni'n agosach heno na rioed . . . . trystio'n gilydd . . . . (*Mae'n cerdded at ddodrefnyn gyda gwydrau a photeli arno*) Dim . . . . sut fedra i ddeud . . . .? (*Mae'n codi potel frandi a'i hagor*) . . . .

GWRAIG: Nefoedd yr adar ! Ti ddim isio rhagor . . . . ?

GŴR : . . . . Dim ffenshio hefo'n gilydd . . . . deud be oeddan ni'n feddwl !

GWRAIG: (*Yn codi'i llais*) Yli ! Ti wedi cael digon o hwnna.

GŴR : (*Yn tywallt*) Ma' rhaid i mi gael brandi bach at y gwynt 'ma—ne chysga i ddim. (*Mae'n cymryd cegaid o'r ddiod ac yna'n peidio'n sydyn. Mae'n edrych i fyny at yr oruwchystafell*) Be oedd hynna ?

GWRAIG: Be ?

GŴR : Rwbath . . . .

GWRAIG: Chlywis i ddim.

GŴR : Glywis i o'n blaen.

GWRAIG: Sŵn, felly ?

GŴR : Math o sŵn. (*Yn dawel yna bron yn sibrwd*)

GWRAIG: Llais rhywun ?

GŴR : Naci . . . . peth ! . . . . tinc !

GWRAIG: (*Ofnus braidd yn awr*) Tinc ?

GŴR : Ne gnul . . . . cloch . . . . rwbath felly . . . . (*Mae'r wraig yn gwrando*)
Arwydd falla . . . .

GWRAIG: Be ti'n feddwl ? . . . .

GŴR : I fynd !

GWRAIG: Chlywa i ddim byd . . . . (*Saib hir o wrando*)

GŴR : Ond fe all fod, gall . . . . fe all fod . . . .

GWRAIG: (*Bron mewn panic*) Chlywa i ddim—dwi'n deud wrthat ti—chlywa i uffar o ddim !

GŴR : 'Dan ni'n sâff o gael arwydd !

GWRAIG: Pam ti'n deud hynny ?

GŴR : Sut byddwn ni'n gwbod 'ta . . . . sut byddwn ni'n gwbod pryd i ddringo ?

GWRAIG: Dim rŵan ! . . . . (*Gyda rhyw bendantrwydd amheus*)

GŴR : Sut gwyddost ti ?

GWRAIG: (*Yn gweiddi bron*) Dim rŵan! Dwi'n gwbod. Ma'n rhaid inni gymryd mwy o bwyll tro yma . . . . nid rhuthro fel o'r blaen.

GŴR : (*Saib*) Roeddat ti'n sâff o'r blaen . . . . yn gwbod yn union pryd ! (*Yn edrych tua'r ystafell islaw*)

GWRAIG: (*Yn drist*) O'n i'n meddwl 'mod i'n gwbod !

GŴR : (*Yn edrych i fyny*) Dwi ddim isio bod rhy hwyr chwaith.

GWRAIG: Gwell hwyr na rhy gynnar. (*Mae tinc o ofn a phryder yn ei llais wrth edrych tua brig y grisiau*) . . . . All fod yn ddigon i ni os awn ni i fyny rhy fuan eto. (*Mae'n mynd i eistedd ar y bocs lle roedd ar y dechrau. Mae distawrwydd llethol, gyda'r gŵr yn dal i wrando ac edrych i fyny*) Gymra i un hefyd.

GŴR : Beth ?

GWRAIG: Brandi! Ma' rwbath yn pwyso ym mhwll 'y nghalon i. (*Mae'r gŵr yn tywallt diod i'w wraig a mynd âg ef iddi. Mae wedyn yn mynd i eistedd ar ei focs*)

GŴR : (*Ar ôl ysbaid hir o sipian brandi*) Sut oeddat ti'n gweld petha'n mynd ?

GWRAIG: Mynd i ble ?

GŴR : Ti'n gwbod be dwi'n feddwl . . . . hefo D.J. . . . . sut oeddat ti'n cael 'i wynt o ?

GWRAIG: (*Yn synnu bod y cwestiwn yma'n codi yn awr*) Nefoedd bach !

GŴR : Oedd o'n ffafriol imi ti'n meddwl ?

GWRAIG: (*Yn llawn anobaith*) Be wn i . . . .

GŴR : Ma' gin ti syniad 'toes . . . . y petha oedd o'n ddeud.

GWRAIG: Chafodd o fawr o gyfla naddo—dim hefo chdi'n malu fel roeddat ti.

GŴR : (*Yn gwylltio braidd*) Oedd rhaid i mi 'i argyhoeddi o toedd ?

GWRAIG: Ond dim 'i fyddaru o !

GŴR : (*Yn bryderus ar ôl ysbaid*) Dyna'r argraff gest ti 'ta ?

GWRAIG: (*Saib. Edrych arno. Meddalu ychydig*) O'n i'n meddwl dy fod ti'n mynd braidd rhy bell weithia.

GŴR : (*Yn sylwi ar yr ychydig o dynerwch yn ei llais*) Ond ma' D.J. yn hoffi rhywun hefo *drive* dallt —hoffi siarad plaen .... heb flewyn ar dafod. (*Saib*) .... Fedar o ddim rhoi'r job i neb arall .... Fedar o ddim ! (*Saib hir o ddistawrwydd. Mae'r wraig yn edrych arno fel petai'n gwybod yn well*) .... 'Dio byth yn gwahodd Preis yna i swpar nacdi .... i drafod petha ....

GWRAIG: 'Sdim rhaid iddo fo .... ma' nhw'n gweld digon ar ei gilydd yn y *Lodge*.

GŴR : (*Yn synfyfyriol bron*) Mi fydda i'n aelod cyn diwadd flwyddyn hefyd ....

GWRAIG: Pan fydd hi'n rhy hwyr !

GŴR : Ma' f'enw fi i fyny dallt .... a D. J. 'i hun roth o .... ac os ydi D.J. tu ôl i mi, dwi i fewn.

GWRAIG: Dim os ydi'r lleill yn gwrthod.

GŴR : Pwy sy'n mynd i wrthod ? .... Ma' 'na fois uchel yn y *Lodge* 'na sy'n nabod i'n dda .... mêts! .... 'di sincio peintia hefo'n gilydd.

GWRAIG: A ma' 'na Preis !

GŴR : Twll i Preis !

GWRAIG: Peli bach mewn bag—dyna be ma' nhw'n neud 'tê .... gwyn i dderbyn, du i wrthod .... a fydd neb yn gwbod pwy sy'n rhoi be i mewn ....

GŴR : Y ?

GWRAIG: 'Sgwn i sut beli 'sgin ffrindia Preis !

GŴR : (*Ar ôl saib hir*) Diawl bach dan din 'dio . . . . a be uffar mae o'n wbod . . . . dim ond am i fod o wedi bod mewn rhyw blydi colej tua Leicester 'na. (*Saib*) Dwi hefo *D.J. Electrics* o'r dechra, dallt, a ma'r Chief yn cofio hynny . . . . O'n i'n brentis ar transfformars pan oedd hwnna ddim ond fflach yn llygad 'i dad . . . . Boi 'di gweithio'i hun i fyny 'di hwn . . . . blydi profiad . . . . Nid syth i mewn i *Admin* hefo crys pinc a sana i fatshio.

GWRAIG: Rheini sy'n cael y sylw !

GŴR : (*Ar gefn ei geffyl yn awr*) Ond pobol fel fi 'di asgwrn cefn *D.J. Electrics.* (*Mae'n mynd i nôl brandi arall*)

GWRAIG: A ti'n gwbod fel finna ma' dim am "asgwrn cefn" ma' nhw'n chwilio tro yma ond "pen" . . . . 'mennydd . . . . (*Mae'n taro ei phen â'i bys*) —Bambocs !

GŴR : (*Yn gwylltio braidd*) Ti'n meddwl na 'sgin i ddim 'ta ? . . . .

GWRAIG: Dim dyna ddudis i . . . .

GŴR : Ti'n meddwl 'mod i'n dwp twyt ? Ti'n meddwl 'mod i'n blydi twp !

GWRAIG: Ddudis i ddim mo'r fath beth . . . .

GŴR : Ond dyna ti'n awgrymu 'tê—dŵad yn blaen . . . . tyd !

GWRAIG: Ga i ddeud . . . .

GŴR : 'Sgin i ddim digrîs fel Herald Môn tu ôl i'n enw . . . . dwi'n gwbod hynny . . . . ond mi ddysga i i'r cadi ffan bach yna faint sy tan Sul—unrhyw ddiwrnod.

GWRAIG: Y pwynt dwi'n drïo neud ydi . . . .

GŴR : (*Ar dop ei lais yn awr*) Ac os wyt ti'n methu gweld trwyddo fo . . . . wel tydi D.J. ddim yn mynd i gael 'i dwyllo . . . . Dwi a fo wedi'n naddu o'r un graig . . . . hogia'r blydi werin, dallt . . . . boi calad hefo profiad mae o isio'n Fanijar, nid rhyw blydi ponsan fel Preis. (*Mae'n gollwng y gwydr o'i law ym merw ei gynnwrf. Mae saib hir ar ôl hyn ac y mae'n amlwg fod y gŵr, rhwng y ddiod a'i emosiwn, mewn tipyn o stad*)

GWRAIG: 'Sa well i ti fynd i dy wely dwi'n meddwl.

GŴR : Ti ddim yn meddwl 'mod i ddigon da nac wyt ?

GWRAIG: Gwbod sut ma'r gwynt yn chwythu 'dw i.

GŴR : A mi *fasat* ti'n gwbod basat ?

GWRAIG: Ma' gin i glustia a llygada 'toes ?

GŴR : A ma' gin ti din a phâr o fronna hefyd.

GWRAIG: (*Yn codi*) Dwi ddim yn mynd i ddal pen rheswm hefo dyn 'di meddwi. (*Mae'n gwneud osgo i symud i gefn y llwyfan i gyfeiriad y drych*)

GŴR : (*Yn gafael yn ei braich i'w hatal*) 'Dio wedi deud wrthat ti'n ddistaw bach 'ta . . . . ?

GWRAIG: Gollwng fi . . . .

GŴR : 'Sgin dy dipyn gŵr di ddim gobaith ci plastic mewn becws. (*Yn dal i'w gwasgu*) 'Dio wedi sibrwd hynny yn dy glust di ?

GWRAIG: Ti'n 'mrifo fi . . . .

GŴR : Elli di wadu na tydio ddim yn dy ffansïo di 'ta . . . . elli di ?

GWRAIG: Be ddiawl wn i be ma' o'n ffansïo.

GŴR : Pam oedd o'n rhwbio'i bennaglinia hefo chdi dan bwrdd heno 'ma 'ta ? . . . . Dŵad hynny wrtha i.

GWRAIG: Welist ti o 'ta ?

GŴR : Siŵr Dduw welis i o. Ti'n gwadu ?

GWRAIG: Pam fasat ti'n deud wrtho fo am beidio 'ta . . . .?

GŴR : Y ?

GWRAIG: . . . . Pam na fasat ti'n daflu dy blydi *prawn cocktail* i'w wyneb o . . . . a tolldi dy *lasagne* dros 'i ben moel o . . . . o na . . . . dim uffar o beryg ! . . . . fasat ti ddim yn meddwl tynnu blewyn o drwyn dy annwyl D.J. (*Saib*) A mae o wedi talu i ti bod dy wraig yn neis iddo fo ers blynyddoedd tydi ?

(*Does ganddo ddim ateb i hyn. Mae'n ei ryddhau ei hun. Â hithau i sefyll o flaen y drych. Mae'r gŵr yn edrych o gylch yr ystafell a daw rhyw gryndod o arswyd drosto*)

GŴR : (*Gyda theimlad*) Lle uffernol 'di hwn . . . . llawn drafftia . . . . (*Saib. Mae'n edrych i fyny tua'r oruwchystafell*) . . . . Fasan ni'n cael run draffarth i fyny yna tybad ?

GWRAIG: (*Ar ôl saib*) Run draffarth gei di ym mhob man . . . .

GŴR : Ond ma' petha'n bownd o fod yn wahanol yna.

GWRAIG: (*Trist*) Run peth fydda i . . . . run peth fyddi di.

GŴR : (*Yn troi i edrych arni. Mae hi yn dal i rythu yn oeraidd a difynegiant ar ei llun yn y mur*) Tybad ?

GŴR : (*Mae'n cerdded ati ac yn sefyll y tu ôl iddi*) Fe all petha newid . . . . (*Mae'n codi ei law i gyffwrdd ynddi. Mae'n petruso ac oedi*) Dwi'n cofio adeg . . . . (*Mae bron â rhoi ei law ar ei hysgwydd*) . . . .

GWRAIG: Ie ?

GŴR : (*Saib. Mae'n tynnu ei law yn ôl ac edrych ar ei oriawr*) Ma' hi'n hwyr tydi ?

GWRAIG: Uffernol o hwyr ddwedwn i. (*Mae'r wraig yn cerdded at y ffenestr ac yn edrych allan*)

GŴR: (*Yn mynd y tu ôl iddi ac edrych allan ei hun*) Noson braf! (*Dim ateb gan y wraig sy'n dal i syllu allan i'r nos yn freuddwydiol*) . . . . Lleuad llawn. (*Dim ateb*) . . . . ogla dail 'di crino!

GWRAIG: Ogla marw!

GŴR: Beth!

GWRAIG: Ma' popath yn marw y tymor yma . . . . gas gin i'r Hydref!

GŴR: Dim popath . . . . ma' 'na ffrwytha 'toes . . . . cnau, mwyar duon a ballu . . . . amsar i fedi ydio.

GWRAIG: Fydd y cnau ddim yn hir cyn pydru . . . . a'r mwyar duon yn slwtsh!

GŴR: Dyna be ydi honna—lleuad fedi!

GWRAIG: Naci!

GŴR: (*Mae ychydig o gynnwrf yn ei lais yn awr*) Dwi'n deud wrthat ti!

GWRAIG: Mi ddoth a mi aeth honno heb i ti sylwi. (*Saib*) Lleuad yr heliwr 'di nacw.

GŴR: Heliwr? (*Siomiant braidd*)

GWRAIG: (*Trist*) Naw nos ola!

GŴR: (*Cynnwrf*) Naw nos ola?

GWRAIG: I hysio'i gŵn . . . . cwrsio . . . . a gosod 'i drapia . . . . cyn gaea . . . .

GŴR: Ti'n cofio ni'n mynd i fyny Wyddfa i weld yr haul yn codi? . . . . Sadwrn naw nos ola! Uffar o giang ohonan ni—chdi, fi, Eric a Sali Pritchard . . . . bws ddeg i Llanbêr—boliad o *chips*, a fyny â ni . . . . ti'n cofio? (*Dim ymateb*) . . . . Dyna'r adag gollist ti dy esgid . . . . a finna'n dy gario di ar fy nghefn.

GWRAIG: Ar dy sgwydda !

GŴR: (*Fel bachgen bach yn awr*) 'Na ti—corn bwch !

GWRAIG: O'dd 'na fawr o leuad os dwi'n cofio'n iawn. (*Mae hithau'n dechrau meddalu*)

GŴR: Niwl am gwelat ti . . . . fel bol buwch.

GWRAIG: Mi faglist droeon.

GŴR: Wel diawl do . . . . be arall 'naethwn i a titha'n rhoid dy sgert am 'y mhen i bob cam gymrwn i ?

GWRAIG: (*Gwenu yn awr*) Garist ti fi 'mhell, chwara teg i ti.

GŴR: (*Ar ôl saib*) O'n i ddim yn teimlo'r pwysa. (*Yn dyner*) . . . . Teimlo dim i ddeud gwir ond dy glunia di'n gwasgu'n gynnas am 'y ngwddw i . . . . (*Saib hir yn awr fel y mae'r ddau yn edrych ar ei gilydd, ond y mae agendor rhyngddynt o hyd. Clywir sŵn trên yn ysgytian ar ei ffordd yn y pellter*)

GWRAIG: (*Saib*) Trên !

GŴR: (*Saib*) Ia . . . .

GWRAIG: (*Saib*) Gafael yno i. (*Mae tinc o ofn yn ei llais*)

GŴR: (*Ychydig o syndod*) Beth ?

GWRAIG: (*Yn nesu ato*) Gwasga fi . . . . gwasga fi'n dynn. (*Mae'n rhoi ei breichiau amdano. Mae yntau yn gwneud yr un modd ond mae rhyw ansicrwydd swil yn ei osgo*)

GŴR: Ti'n iawn ?

GWRAIG: Ma' rwbath trist mewn sŵn trên—'mhell yn y nos.

GŴR: Trist ?

GWRAIG: Ffarwelio . . . . dagra . . . . mynd i rwla—gadal !

GŴR: (*Ar ôl saib*) Falla ma' cyrraedd ma' nhw . . . . dŵad adra !

GWRAIG: (*Ar ôl saib*) Wnes i rioed feddwl amdano fo felna. (*Mae'n eistedd. Mae yntau yn eistedd wrth ei hochr*)

GŴR: A ma' hyd yn oed 'mynd' weithia'n hwyl. Ti'n cofio'r trip ysgol 'na i Lundain ? . . . . cychwyn cyn codi cŵn Caer . . . . desu, guthon ni hwyl radag honno—o'dd gin ti ffrog sidan biws.

GWRAIG: Ti'n cofio ?

GŴR: Bob tro oeddat ti'n sefyll rhyngddo fi a'r haul o'n i'n dy weld ti drwyddi.

GWRAIG: (*Gwenu*) *See through.*

GŴR: Gweld siâp dy gorff di i gyd . . . .

GWRAIG: Dyna pam o'n i'n 'i gwisgo hi.

GŴR: Ond mi ges i uffar o fyll, do ?

GWRAIG: Gest ti ?

GŴR: Ti ddim yn cofio—mi ddudis i wrthat ti am wisgo dy gôt . . . .

GWRAIG: 'Nest ti ?

GŴR: 'Nes i *ddeud*, ond 'nest ti *wrthod.*

GWRAIG: Oeddat ti ddim yn licio'r ffrog 'ta ?

GŴR: Wrth 'y modd—i ddechra . . . . nes i mi sylweddoli . . . . (*Mae'n petruso*)

GWRAIG: Sylweddoli be ?

GŴR: Bod y diawlad erill yn gweld run peth â fi . . . . gweld dy gorff di i gyd.

GWRAIG: (*Wedi ei phlesio'n awr*) Oeddat ti'n jelys 'ta?

GŴR: Berwi'n tôn ?

GWRAIG: Dyna pam est ti â fi i'r giard fan.

GŴR: (*Cofio*) O sŵn pawb . . . . dim ond ni'n dau. (*Dechrau chwerthin*)

GWRAIG: Yng nghanol y bagia post. (*Yn chwerthin gan ei bod yn gwybod yn iawn beth yw diwedd y stori*)

GŴR : Bystachu . . . .

GWRAIG: A dyma hi i fewn. (*Maent yn chwerthin yn uchel yn awr*)

GŴR : Naddo—dyna'r pwynt . . . .

GWRAIG: *Hi* dwi'n feddwl—Miss Ifans Welsh.

GŴR : Welist ti 'i gwynab hi ?

GWRAIG: (*Yn cymryd arni osgo a llais yr athrawes*) Be ydach chi'n feddwl 'dach chi'n neud ? (*Yn sefyll*)

GŴR : Dim byd, Miss.

GWRAIG: 'Dach chi'n arfar mynd o gwmpas hefo'ch crys allan o'ch trwsus 'ta ?

GŴR : Nac ydw, Miss ! (*Yn gwneud osgo i'w roi i mewn*)

GWRAIG: A'ch botyma'n gorad ? (*Mae'n rhoi ei law dros ei falog*)

GŴR : Sori, Miss !

GWRAIG: Mi riportia i chi am hyn, dalltwch !

GŴR : Chwara gêm fach oeddan ni, Miss.

GWRAIG: Be 'dach chi'n feddwl—gêm ?

GŴR : Gesio enwa stesions wrth i ni basio trwyddyn nhw.

GWRAIG: Yn gorweddian yng nghanol parseli ?

GŴR : Ma'n anoddach ar 'n cefna ! (*Pwff o chwerthin*)

GWRAIG: Mi gewch chi gefna—du las—pan setlith y Prifathro chi. (*Mae'r wraig yn byrstio i chwerthin, ac yn eistedd. Mae'r gŵr yn awr yn cymryd arno osgo a llais y prifathro ac yn sefyll ar ei draed yn awdurdodol*)

GŴR : 'Sgynnoch chi ddim cwilydd, dudwch ?

GWRAIG: (*Yn peidio â chwerthin*) Wnes i ddim byd, Syr.

GŴR : Peidiwch â gwadu—dwi'n nabod yr hen hogyn powld 'na rhy dda. 'Di'ch tad yn gwbod ?

GWRAIG: Nac ydi, Syr. (*Yn isel a diniwed*)

GŴR : Mi fydda i'n gneud yn sâff 'i fod o'n gwbod cyn heno.

GWRAIG: (*Saib*) Pam roesoch chi'ch llaw i lawr 'y mlows i 'ta ?

GŴR : (*Syndod gwirioneddol yn awr*) Beth ?

GWRAIG: Rŵan jest—ac agor y botyma i gyd—Syr !

GŴR : Ddaru o ?

GWRAIG: (*Fel plentyn o hyd*) Wrth gwrs gnuthoch chi—a mi ofala i bod 'Nhad yn cael gwbod hynny cyn nos hefyd—dwi ddim isio i bawb gyffwrdd yn 'y mrestia i.

GŴR : Fasa Lewis Bach byth yn gneud ffasiwn beth.

GWRAIG: Dim os nad ydach chi o ddifri, tê ? (*Mae'n sefyll ac yn closio at y gŵr*) Ac yn licio fi go iawn. (*Mae'n dal ei wyneb yn ei dwylo ac yn rhoi cusan fach dyner iddo*)

GŴR : (*Saib hir syfrdanol*) Rarglwydd o'r Sowth— 'nest ti mo hynny ?

GWRAIG: (*Yn ôl yn ei llais naturiol rŵan*) Ches i fawr o draffarth gyda Lewis Bach ar ôl hynny. (*Mae'n gorffen dadwisgo'n awr*)

GŴR : Ti'n dweud gwir ? (*Yn flin braidd*)

GWRAIG: I be faswn i'n deud clwydda ?

GŴR : Be ddaru Lewis wedyn, 'ta ?

GWRAIG: A'th o'n horlics, do—myllio'n lân.

GŴR : Stidodd o di ?

GWRAIG: (*Tan ddadwisgo*) Nid myllio felly dwi'n feddwl —cynhyrfu !

GŴR : Cynhyrfu ?

GWRAIG: Ti'n cofio'r wythïen fach 'na oedd ganddo fo ar ochor 'i wddw—reit dan 'i glust.

GŴR : Oedd hi'n curo bob tro roedd o'n gwylltio.

GWRAIG: 'Sat ti'n gweld hi'n mynd wedyn, 'ta—fel blydi

injan ddyrnu . . . . a mi gwasgodd fi fel dyn o'i go . . . . o'n i'n meddwl 'i fod o'n mynd i gael strôc . . . .

GŴR : Ia ?

GWRAIG: A mi cusanodd fi'n wallgo—'ngwynab i, 'ngwallt i, 'ngwddw i . . . . drosta i i gyd.

GŴR : Y bastard bach diegwyddor.

GWRAIG: Ond mi cadwis o hyd braich—"amsar a lle bopath," medda fi.

GŴR : A be ddudodd o wedyn ?

GWRAIG: Iawn medda fo—Pryd ? Ble ?

GŴR : A be ddudist ti ?

GWRAIG: Rwla lle na welith neb ni . . . . 'Dach chi ddim isio colli'ch job, nac oes ? . . . . 'sa hi'n gythral o beth gweld Prifathro parchus o flaen 'i well am aflonyddu ar genod bach.

GŴR : Y cedor !

GWRAIG: Mi sobrodd drwyddo pan ddudis i hynny—a mi heglis i allan.

GWR : Nath o ddim edrach arnach chdi yn dy wynab byth wedyn debyg ?

GWRAIG: Do, tad . . . . mi roth i law amdana i drocon pan es i'w stafell o hefo pres cinio a ballu.

GŴR : Y diawl bach budur.

GWRAIG: A mi gynigiodd fynd â fi adra ar ôl Steddfod Ysgol un noson.

GŴR : Taswn i'n blydi gwbod.

GWRAIG: Mi fuo am weddill yr amsar oedd gin i yn yr ysgol—yn chwilio am y lle a'r amsar iawn. (*Mae wedi dadwisgo erbyn hyn ac yn rhoi gwisg dros ei phais*) Ti'n dŵad i dy wely, 'ta ?

GŴR : (*Ddim yn clywed ei chwestiwn*) Nefoedd 'radar ! A fynta'n flaenor Wesla a phopath !

GWRAIG: (*Yn mynd at y ffenestr*) 'Di ddim ymhell o doriad gwawr.

GŴR: Oedd o ddim yn rhyw bregethwr cynorthwyol hefyd dŵad?

GWRAIG: (*Ar ôl saib*) Dwi'n siŵr dy fod ti'n iawn. (*Mae'n dal i edrych trwy'r ffenestr*)

GŴR: Sâff i ti . . . . ma' gin i go' 'i glŵad o'n mynd trw'i betha yn capal ni rywdro. (*Saib hir*)

GWRAIG: Falla daw hi â Gwyn adra fwrw Sul yma. (*Mae'n troi i edrych arno fo*) Be ti'n feddwl?

GŴR: Y?

GWRAIG: Y trên! . . . . Falla daw hi â Gwyn ni adra fory . . . .

GŴR: (*Yn codi ac yn tynnu ei siaced*) Fyddi di'n lwcus uffernol!

GWRAIG: Ma' rwbath yn deud wrtha i y daw o . . . .

GŴR: Ma' o wedi anghofio'i ffor yma 'sat ti'n gofyn i mi . . . .

GWRAIG: Ti'n gwbod 'i fod o'n brysur tua'r coleg 'na.

GŴR: Paid â twyllo dy hun, dyna i gyd . . . . tasa fo isio dŵad adra—mi fasa'n dŵad.

GWRAIG: (*Ar ôl saib hir*) Os daw o . . . . mi awn ni i gyd am dro.

GŴR: (*Yn mynd i nôl cas llaw a'i agor o*) Ma' fory yn ddiwrnod gwael i mi . . . .

GWRAIG: I Goed Parcia . . . .

GŴR: Ma' gin i bentwr o waith papur i ddal i fyny efo fo. (*Yn ymbalfalu yn y llwyth papurau yn ei gas*)

GWRAIG: Mae o wrth 'i fodd yn hel mwyar duon . . . . ma' cnyda ohonyn nhw'n fanna.

GŴR: (*Chwilio am rywbeth yn wyllt*) Ble gythral ma'r *specification Rio Tinto* 'na?

GWRAIG: (*Wedi ymgolli gyda'r atgof*) Mi awn ni â brechdana hefo ni—a fflasg o de.

GŴR: (*Yn twmbwrian ymysg y papurau*) A finna 'di gaddo'i orffan o fwrw Sul yma.

GWRAIG: Mi fydda wrth 'i fodd hefo Coed Parcia pan oedd o'n fychan . . . . ti'n cofio ?

GŴR: (*Yn dod o hyd i'r papur*) Dyma fo—diolch i Dduw ! Mi fydd ar ddesg D.J. cyn iddo gyrraedd bora Llun rŵan. (*Tynnu pensil o'r cas a dechrau astudio'r papur*)

GWRAIG: Wyt ti'n cofio ? (*Edrych arno*)

GŴR: Y ? (*Yn dal i astudio'r papur ac yn gwneud nodyn nawr ac yn y man*)

GWRAIG: Fel bydda fo isio chwara cowbois yna.

GŴR: M !

GWRAIG: Jyngl o'dd o'n galw'r lle . . . . a ti'n cofio fo'n disgyn ar 'i ben i'r cachu gwarthag hwnnw ?

GŴR: Ma' hwn yn mynd i gostio ciniog a dima . . . .

GWRAIG: (*Wedi ymgolli yn ei myfyrdod*) Nes o'dd 'i gyrls du o'n slebaj melyn. (*Saib. Mae'n gwenu wrth gofio*) Mynd â fo adra a roid o'n syth yn y bath . . . . yn 'i ddillad . . . . Rarglwydd o'dd golwg arno fo. (*Mae seibiant eto o wenu, ac yna mae'r wên yn rhoi ei lle i dristwch*) Mi a'th y cyfan mor sydyn . . . . croesi cae . . . . (*Saib hir*) Dringo grisia . . . . (*Saib*) . . . . 'Dio ddim yn dy ddychryn di weithia ?

GŴR: M ! (*Dal i wneud nodiadau*)

GWRAIG: Dwi ddim hyd yn oed yn cofio pryd beidiodd o fod yn fabi a dechra bod yn hogyn. (*Saib*) Pryd dyfodd o'n ddyn ? (*Saib*) Wyt ti'n cofio ? (*Heb droi ei phen i edrych ar y gŵr*)

GŴR: (*Wedi ymgolli*) Be ?

GWRAIG: (*Yn troi ei phen ac edrych arno*) Pam neidi di allan trw'r ffenast 'na'r diawl boliog hurt ?

GŴR : (*Clywed dim*) Pwy ?

GWRAIG: (*Yn dawel a dig*) Waeth i mi siarad hefo'r wal 'na ddim na siarad hefo ti.

GŴR : (*Yn edrych i fyny yn ddiamynedd*) Yli ! Ma' petha braidd yn gymhleth, o.k. !

GWRAIG: (*Yn cerdded yn araf at waelod y grisiau*) Ma' petha'n uffernol o gymhleth 'y ngwas i. (*Saib. Mae'n edrych i fyny tua brig y grisiau*) Yn fwy cymhleth na wnest ti rioed feddwl. (*Mae'n rhoi ei throed yn araf a gofalus ar y gris isaf, yna mae'n aros a sefyll arno. Saib hir o ddistawrwydd yn awr. Mae'n sefyll yn llonydd, fel delw, ar waelod y grisiau ac yntau wedi ymgolli yn ei waith ac yn ysgrifennu fel petai ei fywyd yn dibynnu ar hynny. Yn y man mae'n codi ei ben yn sydyn fel petai'n synhwyro fod rhywbeth o'i le. Try ei ben yn araf i gyfeiriad y grisiau. Mae'n rhythu ar ei wraig am eiliad neu ddau fel petai wedi ei syfrdanu*)

GŴR : Be ti'n neud ? (*Dim ateb gan y wraig. Yn wir mae'n sefyll mor llonydd â cherflun o farmor*) Glywist ti rwbath ? (*Mae'n rhoi ei waith o'r neilltu a cherdded yn frysiog ati*)

GWRAIG: Be wedyn ? . . . .

GŴR : Be wedyn be ?

GWRAIG: Ar ôl i ni ddringo hon . . . .

GŴR : (*Yn mynd i nôl ei siaced a'i gwisgo*) Ti'n barod 'ta ?

GWRAIG: Fyddwn ni wedi cyrraedd y top?

GŴR : (*Wedi ei gynhyrfu yn awr*) Well i mi fynd gyntaf. (*Yn eiddgar yn camu am y grisiau*)

GWRAIG: (*Yn troi ac yn edrych arno fo*) Beth amdano fo ?

GŴR : Pwy ?

GWRAIG : (*Yn llawn dirmyg*) D blydi J !

GŴR : Dwi ddim yn dy ddallt ti.

GWRAIG : Riport ! . . . . Rio Tinto ! . . . . titha wrth 'i ddesg o fora Llun yn crafu tin.

GŴR : Ond . . . . (*Oedi ychydig*) . . . . fydd o ddim yn cyfri, na fydd ?

GWRAIG : Ti'n deud ?

GŴR : D.J ! . . . . Preis ! . . . . D.J. Electrics ! . . . . y blydi job ! . . . . Fyddan nhw ddim yn bod na fyddan ? (*Edrych i fyny*) Ddim i fyny fancw. (*Saib. Mae'n edrych ar ei wraig*) Ti ddim yn dallt ?

GWRAIG : Mi fyddi *di'n* bod byddi ? Mi fydda *i'n* bod.

GŴR : Ond fyddan nhw ddim . . . . dechra eto . . . . llechan lân !

GWRAIG : (*Saib fel y mae'n petruso; edrych i fyny; yna troi ei chefn arno ac edrych ar y grisiau*) Ac os na fyddan nhw, mi fydd 'na betha erill !

GŴR : (*Sy'n sefyll ar waelod y grisiau'n awr*) Na fydd ! Dyna'r pwynt.

GWRAIG : Sut gwyddost ti ?

GŴR : Ma' sens pawb yn deud, tydi ?

GWRAIG : Pam ?

GŴR : Y stafell ola ydi . . . . y stafell ucha . . . . ti ddim yn 'i gweld hi ? . . . . Dyna'r wobr am ddringo'r tŵr . . . . bwrw dy flinder . . . . ymlacio . . . . gorffwyso !

GWRAIG : (*Saib hir*) Dwn i'm !

GŴR : Dyna be ma' pawb yn ddeud.

(*Mae rhyw gryndod yn dod dros y wraig fel petai rhywun yn cerdded dros ei bedd. Nid yw'r gŵr yn sylwi ar ei hofn gan fod ei chefn ato o hyd*)

GWRAIG: (*Ar ôl saib*) Dwi ddim yn barod.

GŴR: (*Yn heriol bron*) Wel mi ydw i.

GWRAIG: (*Gyda thinc o banic*) Ma' hi lawar rhy gynnar inni.

GŴR: Pam na chdi sy'n penderfynu bob tro ?

GWRAIG: Dwi'n 'i deimlo fo yn f'esgyrn.

GŴR: A 'dw inna'n deud bod ni'n mynd—rŵan !

GWRAIG: (*Saib*) Dos 'ta.

GŴR: (*Gwên ar ei wyneb*) Ti o ddifri ?

GWRAIG: Fuo fi rioed fwy . . . .

GŴR: Well i ti wisgo 'ta (*Mae'n disgwyl am ennyd ond nid yw'r wraig yn symud—dim ond rhythu'n drist i'r gwagle o'i blaen*) Tyd 'laen—lle ma' dy ddillad di ? (*Mae'n eu gweld yn un bwndel lle gadawyd hwy ac yn cerdded atynt a'u codi*)

GWRAIG: Dwi ddim isio nhw.

GŴR: Be ti'n feddwl ddim isio? . . . . (*Yn nesu ati ac yn cynnig ei dillad iddi*) . . . . Ei di ddim i fyny fancw'n hannar noeth, na nei ?

GWRAIG: Dwi ddim yn bwriadu mynd.

GŴR: (*Syndod a phenbleth*) Be ddiawl s'arnat ti—rŵan dest oeddat ti'n deud . . . .

GWRAIG: Dweud wrthat *ti* am fynd wnes i.

GŴR: (*Saib*) Hebddot ti ? (*Dim ateb*) 'Da ni wedi mynd hefo'n gilydd bob tro.

GWRAIG: Chdi s'isio mynd.

GŴR: (*Saib*) Ti'n meddwl nad a' i ddim ar ben fy hun dwyt ? (*Dim ateb*) Wel dwi'n blydi mynd. (*Saib fer. Mae'n taflu'r dillad yn sypyn o'i blaen a cherdded at waelod y grisiau. Mae'n stopio ac yn edrych i fyny. Nid yw'r wraig yn troi i edrych arno o gwbwl*)

GŴR: Ti 'nghlŵad i? Dwi o ddifri. (*Nid yw'n symud*)

GWRAIG: (*Yn troi yn awr i edrych arno gyda rhyw her yn ei*

llygaid) Dwi wedi deud wrthat ti—dos! (*Mae'r gŵr yn camu ar y gris cyntaf ac yn aros. Yna mae'n dechrau cerdded yn araf i fyny'r grisiau. Nid yw'r wraig yn tynnu ei llygaid oddi arno pan yw'n gwneud hyn. Wedi cyrraedd bron hanner y ffordd, mae'n aros ac yn troi i edrych ar ei wraig*)

GŴR : Ro i un cyfla arall i ti. (*Mae tinc ofnus yn ei lais. Nid yw'r wraig yn ateb na symud gewyn*) Tyd .... reit sydyn cyn i mi fynd. (*Nid yw'r wraig yn ymateb—dim ond dal i rythu arno*) .... Ti'n meddwl 'mod i'n cogio'n dwyt .... tynnu coes .... dyna ti'n feddwl, 'tê? .... (*Mae ei lais yn crynu gan bryder erbyn hyn*) .... Meddwl amdanat ti ydw i, dallt .... (*Dim ymateb*) .... ne mi faswn i wedi rhoi wib i fyny 'na ers meityn .... (*Mae'n gwegian yn arw yn awr ac y mae tinc wylofus yn ei lais*) .... Hefo'n gilydd ma' hi wedi bod bob tro, 'te .... ddaru ni rioed ddringo ar wahân, naddo .... rioed .... (*Mae'n ymbilio bron yn awr*) .... ti'n 'nghlŵad i .... ?

GWRAIG: Dy ddewis di ydi o.

GŴR : Fe all fod yn farwol i ni ar wahân .... (*Dim ymateb*) .... tisio cael gwarad ohona i 'toes ? .... Tisio 'toes ? .... Cyfadda ! .... (*Dim ymateb*) .... Mi gei di neud petha wedyn, cei ? (*Mae bron yn wylo'n awr*) .... Tisio hynny ers talwm 'toes .... chdi a D.J. .... 'Dach chi isio hynny tydach ? .... (*Mae'n eistedd ar y grisiau yn awr â'i ben yn ei ddwylo fel petai wedi ildio. Mae'n amlwg bellach nad â yr un cam ymhellach —nad â i fyny'r grisiau heb ei wraig. Mae'n ochneidio yn wylofus. Try'r wraig a cherdded at y drych a rhythu ar ei llun. Mae'n rhoi rhyw fath o hufen ar ei hwyneb ar gyfer tynnu'r paent oddi arno. Nid yw'n ymateb o gwbwl i'w gŵr sydd ar y grisiau wedi ei lwyr ddarostwng. Yn y man mae'r ochneidio'n peidio ac y mae'n codi ei ben ac edrych ar ei wraig. Cyfyd yn araf a blinedig a dod i lawr y grisiau fel un wedi ei lwyr orchfygu. Mae'n tynnu ei siaced a'i gosod yn ddestlus ar ganllaw'r grisiau cyn cerdded yn wylaidd a distaw at ei bapurau. Mae'n eistedd a dechrau unwaith eto ar ei waith fel petai wedi sylweddoli o'r diwedd mai dyma ei benyd hyd dragwyddoldeb. Yn y man mae'r wraig yn gorffen ei defod olaf cyn mynd i'r gwely. Yna mae'n codi a cherdded tua'r dodrefnyn a ddefnyddiodd fel gwely yn yr act gyntaf. Mae'n edrych yn ddirmygus ar ei gŵr cyn tynnu ei chôt wely)*

GWRAIG :Peth gora i titha hefyd 'di'r gwely.

(*Mae'n dringo i ben y bocs a gorwedd arno fel delw garreg ar ben bedd. Edrych y gŵr arni yn drist a hiraethus. Yn y man mae'n sefyll ac yn dadwisgo yn hollol fecanyddol. Mae'n cerdded yn araf at focs sydd yn union yr ochr arall i'r llwyfan. Mae'n ei ddringo a gorwedd arno yn hollol lonydd yn union yr un fath â'r wraig. Tywyllir y llwyfan yn araf. Cawn ddilyniant o ffilm yn awr, sy'n dangos yr hyn a welsom yn yr act gyntaf, wedi ei saethu mewn siot lydan fel ein bod yn gweld y llwyfan i gyd. Llun ydyw o'r digwyddiad hwnnw pan yw'r ferch yn agor sip ei gwisg a'i gollwng o gylch ei thraed. Ar ôl camu o'i gwisg, mae'n cerdded yn araf at y llanc, ac yna'n gorwedd ar y bocs wrth ei ochr. Dylem yn awr glywed y miwsig a glywsom yn yr act gyntaf ac yna torri i ran fer o'r ddilyniant ffilm o'r ddau yn caru'n noeth. Fe dorrir ar y dilyniant gan y gŵr yn gweiddi*)

GŴR : Hwran ! (*Mae'r darlun yn diflannu*) Hwran ! (*Mae'r gŵr yn codi ar ei eistedd fel petai mewn breuddwyd, ac yna try ei ben i edrych ar ei wraig. Mae honno yn dal i gysgu yn ei gwely ar wahân. Mae'r gŵr yn troi fel bod ei draed ar y llawr ac yn ymbalfalu am ei esgidiau*)

GŴR : Wn i 'i blydi thricia hi. (*Mae'n gwisgo ei esgidiau*) All hi ddim 'y nhwyllo i ! (*Yn y man mae'n cerdded i ganol yr ystafell, ac yn edrych ar y wraig yn gorwedd yn llonydd ar y bocs*) Cod yr ast ! (*Mae'r wraig yn troi ar ei hochr ond yn dal i gysgu*) Ti 'nghlŵad i ? (*Yn codi ei lais y tro hwn. Mae'r wraig yn codi ar ei heistedd*)

GWRAIG : Beth ?

GŴR : Ydi dyn i fod i gael brecwast mewn lle fel hyn ?

GWRAIG : (*Yn swta*) Ti'n gwbod lle ma' popeth !

GŴR : (*Gyda thinc o orffwylledd*) Dy fusnas di ydi gneud bwyd !

GWRAIG : (*Wedi synnu braidd*) Be sy'n bod arnat ti ? . . . .

GŴR : Dwi wedi cael llond blydi bol—dyna i ti be.

GWRAIG : Ti wedi codi rochor chwith i'r gwely ne rwbath.

GŴR : Gwell codi felly, na dim codi o gwbwl !

GWRAIG : (*Yn codi*) Wn i ddim wir Dduw. (*Mae'n gwisgo ei chôt lofft*) 'Sa well gin i dy weld ti'n dy wely trw dydd na'r tempar 'ma. (*Mae'r gŵr yn mynd i eistedd â'i ben yn ei ddwylo*)

GŴR : Mi fasa hynny'n dy siwtio di, basa ?

GWRAIG : Be ydi'r brys, 'ta ? . . . . ti'n mynd i rwla . . . . 'sgin ti rwbath ar droed ?

GŴR : Dim ! . . . . Uffar o ddim !

GWRAIG : Be oedd isio codi mor ddiawledig o fora, 'ta ?

GŴR : Am nad ydw i ddim isio pydru yn 'y ngwely fel ma' rhai'n gobeithio gwna i—dyna i ti pam !

GWRAIG: Paid â siarad mor hurt. (*Mae'n rhoi llestri ar y bwrdd*)

GŴR: Hen blydi berfa'n rhydu ar doman scrap.

GWRAIG: (*Yn gafael mewn bocs o greision*) Tisio *Corn Flakes* ?

GŴR: Y bastards diegwyddor !

GWRAIG: Yli . . . . dwi ddim isio clŵad hynna trw dydd.

GŴR: Fyddi di ddim yma i 'nghlŵad i, na fyddi? . . . . Mi fyddi di allan yn cicio dy sodlau. (*Nid yw'r wraig yn dweud dim. Mae'n tywallt Corn Flakes i un ddysgl*) Ma' hi'n iawn arnat ti tydi—siŵr Dduw bod hi . . . .

GWRAIG: Gymri di ŵy 'di ferwi ?

GŴR: Yn cael hwyl am 'y mhen i . . . . (*Mae'n dynwared*) . . . . Sut ma'r hen foi . . . . byth 'di cael gwaith ? . . . .

GWRAIG: (*Yn rhoi potelaid o dabledi iddo fo*) Dyma ti. (*Nid yw'n cymryd sylw ohoni. Mae'n rhoi'r botel ar gongl y bwrdd*)

GŴR: Anodd i ddyn o'i oed o, tydi . . . . ond 'na fo —mi gâth *golden handshake* w'chi !

GWRAIG: Te 'ta coffi ?

GŴR: Pres mwnci am dorri blydi cnau !

GWRAIG: 'Nawn ni ddim llwgu.

GŴR: (*Dynwared eto*) Wrth gwrs na wneith o ddim llwgu . . . . ma'i wraig o yn 'i gadw fo w'chi . . . . hogan dda . . . . hogan debol . . . . rhyfadd, 'tê . . . . Fo'n cael cic allan o D. J. Lectrics, a hitha'n mynd i mewn.

GWRAIG: Chest ti ddim *cic allan.* (*Gyda theimlad*) Trïa sylweddoli hynny.

GŴR: Be uffar ges i, 'ta . . . . ?

GWRAIG: Adrefnu.

GŴR : Adrefnu o ddiawl . . . . mi rois i oes gyfan i'r cachwrs . . . . (*Dynwared*) . . . . gwasgfa economaidd . . . . rhaid torri'n gwta . . . .

GWRAIG: Mi oedd hynny'n wir . . . . ti'n gwbod dy hun.

GŴR : Ond pam fi . . . . dduda i wrthat ti pam . . . . y blydi ponsan Preis 'na . . . . hwnna drefnodd betha . . . . o'dd o'n gwbod y baswn i'n ddracnan yn 'i gwd o . . . .

GWRAIG: Gwaed ifanc . . . .

GŴR : Ydi pymthag a deugain yn gneud rhywun yn *geriatric* 'ta ?

GWRAIG: Fel 'na ma' hi 'mhobman . . . . os oes rhaid torri i lawr, y rhai hyna sy'n mynd yn gynta . . . . (*Mae'n dyner yn awr*) . . . . Dwi a chdi yn gwbod y gelli di roi tri thro am un i Preis a'i debyg . . . . ond dyna'r drefn . . . . Mi ddudist ti ddoe dy fod ti am ddechra busnas dy hun . . . . ti wedi meddwl gneud hynny droeon . . . . 'sdim *electrician* yn y lle 'ma alla weirio tŷ fel chdi . . . . Ti'n cofio chdi'n weirio tŷ Sali Pritchard mewn un fwrw Sul ?

GŴR : (*Yn dechrau meddalu*) O'dd hwnnw'n bedair llofft.

GWRAIG: A'r hen *manweb* yna yn deud y cymra wsnos o leia.

GŴR : A hynny cyn bod sôn am *ring mains*.

GWRAIG: Mi elli di wneud hynna eto hefyd . . . . cael prentis bach . . . . ma' digon o lafna ifanc allan o waith o gwmpas lle 'ma . . . . dy fusnas dy hun.

GŴR : Mi allwn i werthu'r car a phrynu fan bach.

GWRAIG: Gneud fel mynnot ti . . . . pryd mynnot ti . . . . neb i ddeud 'gwna hyn' a 'gwna llall' wrthat ti . . . .

GŴR : Mi gymra amsar i hel cwsmeriaid.

GWRAIG: Nid i chdi—ma' gin ti gymaint o ffrindia.

GŴR : Contacts busnas s'isio.

GWRAIG: Ma' gin ti ddigon o rheini hefyd !

GŴR : (*Yn chwilio am esgusodion yn fwy na dim yn awr*) Ond ma' cymaint o gystadleuaeth.

GWRAIG: Mi fydd cymaint o raen ar dy waith di â neb.

GŴR : Nid be ti'n medru *neud* ydi o bellach ond pwy wyt ti'n *nabod.* (*Mae'n dechrau cynhyrfu eto yn awr*)

GWRAIG: (*Yn dechrau caledu braidd*) Yli ! Ti'n nabod digon . . . . dwi'n nabod rhai . . . .

GŴR : A ma' nhw'n gangio yn d'erbyn di . . . . edrach ar ôl 'u tebyg !

GWRAIG: Be ti'n feddwl 'tebyg' ? Ti 'di bod yn y busnas cyn run ohonyn nhw . . . .

GŴR : Nid tebyg fel 'na dwi'n feddwl.

GWRAIG: (*Yn dechrau gwylltio braidd rŵan*) Be ddiawl ti'n feddwl, 'ta ?

GŴR : Dyna pam dwi allan ar 'y nhin . . . . dwi ddim yn gwisgo'r tei iawn, nacdw ? . . . . pam ddiawl ti'n feddwl gâth Preis 'i neud yn fanijer . . . . ?

GWRAIG: Dwi wedi deud wrthat ti . . . .

GŴR : Am 'mod i wedi gwrthod chwara 'u gêm nhw —dyna i ti pam . . . . o'n i'n ormod o Sosialydd to'n ? . . . . Hogia'r graig . . . . gwrthod llyfu tin . . . .

GWRAIG: Well i ti fyta dy frecwast.

GŴR : 'Nes i agor 'ngheg rhy amal . . . . dyna'r drwg . . . . deud 'y meddwl . . . . o'dd gin i blydi cydwybod, toedd ?

GWRAIG: (*Yn codi*) Well i mi neud fy hun yn barod.

GŴR : Ddaru nhw byth fadda i mi am be ddudis i am y tacla *Masons* 'na . . . . " 'dach chi'n bla ar y wlad yma," dyna ddudis i . . . . "sut ddiawl gall neb fod yn perthyn i rheina a fotio i'r Blaid Lafur?" medda fi . . . . "pransio o gwmpas hefo blydi coesa'ch trwsus 'di rwlio i fyny . . . . Cowbois !" . . . . Dyna be galwis i nhw . . . . (*Yn ystod yr araith hon, mae'r wraig yn gwisgo*) . . . . Mi geisiodd D.J. 'i ora glas i mi joinio'r diawlad unwaith . . . . ti'n gwbod hynny . . . . "Mi ro i dy enw di i fyny," medda fo . . . . "paid â thrafferthu," medda fi . . . . "dim trwbwl o gwbwl," medda fynta, "mi fyddi di i fewn fel 'na." (*Mae'n clecian ei fys a'i fawd*) . . . . "Dim tra bo chwthiad yno i," medda finna . . . . Fuo fo byth run fath hefo fi wedyn . . . . (*Saib*) . . . . Dyna i ti pam dwi ar 'y . . . . nhin ar clwt . . . . mi ddudis i wrthyn nhw . . . . a mi ddudwn i eto wrthyn nhw hefyd . . . . mi ddudwn i wrthyn nhw am stwffio'u blydi *Lodge* . . . . ond nhw sy'n rhedag petha . . . . waeth i mi heb na dechra na busnas na dim fy hun . . . . mi gwasga nhw fi allan o fodolaeth . . . . y bastards . . . . !

GWRAIG: Ti wedi cymryd dy dablets ?

GŴR : Y bastards diegwyddor . . . . !

GWRAIG: Ti'n gwrando arna i ?

GŴR : Be ?

GWRAIG: Dy dablets di . . . . ti ddim 'di cymryd dy dablets eto . . . . (*Mae'n estyn y botel iddo*)

GŴR : (*Yn gafael yn y botel*) Blydi tablets ! (*Mae'n ei thaflu o'i gyrraedd nes bod y tabledi yn sgrialu i bobman*) Ti'n meddwl bod yr atab mewn potal ?

GWRAIG: O'r nefoedd ! (*Yn ceisio casglu'r tabledi oddi ar y llawr*) Mi fydda i'n hwyr eto.

GŴR: (*Yn hollol orffwyllog rŵan*) Dos ! 'Sneb yn dy gadw di . . . . dos o 'ngolwg i . . . .

GWRAIG: Tasat ti o ddifri mi fasa dda gin i daflu'r blydi lot trw'r ffenast 'na.

GŴR: Brysia . . . . mi fydd D.J. yn disgwl amdanat ti.

GWRAIG: Ond fi fydd yn diodda heno. (*Yn dal i godi'r tabledi*)

GŴR: Wrth 'i ddesg â'i drwsus i lawr.

GWRAIG: (*Saib*) Be ddudist ti ?

GŴR: (*Saib*) Dos am dy damad !

GWRAIG: (*Mae'r wraig yn ymateb braidd yn betrusgar*) Ti'n colli arnat dy hun ne rwbath ?

GŴR: Wrth gwrs 'mod i'n colli arna fy hun . . . . faswn i ddim yn gadael i ti fynd taswn i lawn llathan.

GWRAIG: (*Yn gosod y botel eto ar y bwrdd*) Dwi'n mynd yna nes cei di waith !

GŴR: Siŵr Dduw bod ti ! . . . .

GWRAIG: (*Yn rhoi ei chôt amdani*) Ma' rhaid i rywun wneud rwbath rhaid ?

GŴR: A mi nei di *rwbath.*

GWRAIG: 'Dan ni dat 'n tagall mewn morgej . . . .

GŴR: Fuo 'na rioed stafell *First Aid* yna o'r blaen, naddo ? Pawb drosto'i hun fuo hi rioed . . . . ond mi welodd 'i gyfla, do ? . . . . " 'Dach chi'n nyrs tydach, cariad, jyst be 'dan ni isio—gweithiwrs 'cw'n cael 'nafu'n amal, rhaid cael rhywun i'w trin nhw" . . . . Trin blydi pwy ? . . . . "Mi wna i stafell fach breifat i chi'n selar—*First Aid Room*—llawn o fandijis, plastars a phils a ballu . . . . a gwely . . . . o ia . . . .

rhaid cael gwely . . . . i'r *patients* orfadd ac ati."
. . . . Pwy blydi gorfadd ? Fo ydi'r unig *batient* sy'n dŵad atat ti'n ôl be dwi'n ddallt.

GWRAIG: Dwi'n mynd

GŴR: Ti'n gwadu 'ta !

GWRAIG: Ti ddim yn gall.

GŴR: (*Mae'n tynnu waled ledr allan o'i boced*) Be ddiawl ydi hon, 'ta ?

GWRAIG: (*Yn llawn euogrwydd yn awr*) Be ydi honna be ?

GŴR: (*Yn ei chwifio o dan ei thrwyn*) Ti ddim yn nabod 'i hogla hi ?

GWRAIG: Paid â bod mor wirion.

GŴR: (*Yn ei hagor*) O ! Drychwch. (*Mewn ffug syndod*) Fo pia hi . . . . D.J. . . . . Ma'i lun o ynddi ylwch . . . . 'ngwas del i hefo'i ben moel.

GWRAIG: Ble gest ti afal ynddi, 'ta ? (*Wedi dychryn braidd*)

GŴR: Mi ddudа i ble ces i afal ynddi—yn cuddiad yn dwt a chlyd yn dy *handbag* di ! . . . . Rhyfadd, 'tê ?

GWRAIG: (*Yn troi ei chefn arno*) Diawch dwi'n cofio . . . . (*Mae'n codi ei bag a'i agor ac edrych i mewn*) . . . . Mi gadawodd nhw ar ôl yn y swyddfa nos Wenar . . . . (*Mae'n tynnu leitar aur allan*) . . . . A'i leitar hefyd . . . . Mi rois nhw yn 'y mag rhag i rywun roid 'i bump arnyn nhw.

GŴR: A'u cadw nhw'n sâff iddo fo tan heddiw.

GWRAIG: Ma' rhywun 'di torri i mewn i'r offis acw deirgwaith leni—ti'n gwbod hynny cystal â finna. (*Mae'n edrych yn nerfus wrth i'r gŵr fynd trwy gynnwys y waled*) . . . . Well i ti beidio bysnesu hefo'i betha preifat o . . . . (*Mae'n gwneud osgo i afael yn y waled, ond y mae yntau yn tynnu'n ôl yn sydyn*)

GŴR : Duwcs drychwch . . . . dy lun di a fo . . . . (*Saib*) . . . . a bil hotel . . . . Nos Wenar a Nos Sadwrn dwetha . . . . *Room 121*. Mr. a Mrs. D. Jenkins . . . . 'di wraig o allan o'r hospital 'ta ?

GWRAIG: Dwi ddim yn sâff . . . . (*Ddim yn gwybod beth i'w wneud*)

GŴR : O'dd o'n mentro braidd yn fanna toedd— Mr. a Mrs. Smith ma' nhw'n arfar 'i roid— ond mi oedd rhaid iddo seinio *cheques* a ballu toedd ? . . . . yn 'i enw'i hun . . . . wrth gwrs . . . . dipyn o hei leiff i'w feistres . . . . (*Ffug syndod yn awr*) . . . . Duwcs, dyna ryfadd . . . . (*Mae'r wraig yn edrych arno'n bryderus*) . . . .

GWRAIG: Be ? . . . . (*Fel y mae'n rhythu ar y bil*)

GŴR : Ma' rhywun wedi sgwennu ar waelod hwn '*Barclaycard No. 4929-770-387-765.*'

GWRAIG: Be sy o'i le ar hynny ?

GŴR : Dim . . . . (*Mae'n edrych ym myw ei llygaid hi*) . . . . .ond bod y sgrifan yn debyg uffernol i dy un di !

GWRAIG: Paid â siarad mor hurt.

GŴR : Nath o dy yrru di i dalu wrth y ddesg, felly.

GWRAIG: Tyd â honna i mi . . . . (*Yn ceisio cael y waled*)

GŴR : (*Yn ei dal yn ddigon pell oddi wrthi*) O'dd o ddim isio loetran gormod yn y *foyer* debyg gin i . . . . ofn cael 'i nabod . . . . ofn bod rhai o'i gyd-gowbois o o gwmpas . . . . Oedd o'n gwisgo het gantal isal a sbectol haul hefyd ?

GWRAIG: Dwi'n mynd.

GŴR : (*Yn gafael yn dynn yn ei braich*) 'Sdim rhyfadd dy fod ti wedi blino bora 'ma . . . . gest ti dy weithio reit galed fwrw Sul, do ?

GWRAIG: Ti'n gwbod 'mod i'n aros hefo Sali . . . . ma'i . . . .

GŴR: (*Yn ddirmygus*) . . . . Gŵr hi'n Glasgo hefo'i waith, a ma' hi'n uffernol o ofnus ar ben 'i hun . . . .

GWRAIG: Gofyn iddi 'ta . . . . Gofyn iddi ! . . . . Ffônia hi os lici di . . .

GŴR: A mi daerith ddu yn wyn dy fod ti yna . . . . ma' gynnoch chi ddealltwriaeth 'toes ? . . . . Mi wnei ditha'r un gymwynas â hi pan fydd hitha isio dipyn o sbâr.

GWRAIG: (*Yn ceisio bod yn ymosodol*) Ti'n 'ngalw fi'n glwyddog, 'ta ?

GŴR: Ydw ! (*Saib*) A matar bach fydd cadarnhau hynny . . . . (*Mae bron ag wylo'n awr*) . . . . Ma' enw'r gwesty gin i . . . . holi hwn a holi llall sydd isio . . . . yr hwran ! . . . . (*Mae'n dechrau ei pheltio yn orffwyllog*) . . . . Yr hwran ! . . . . Yr hwran !

(*Mae'n rhoi cythraul o gweir i'w wraig. Yn wir dim ond dal yn ôl mewn pryd rhag ei thagu y mae. Mae'r wraig yn disgyn ar y llawr tan ochneidio'n wylofus. Mae yntau'n mynd i bwyso yn erbyn canllaw'r grisiau fel petai wedi llwyr ymlâdd*)

GŴR: Dwi'n dda i ddim nacdw ? . . . . I uffar o ddim . . . . dim hyd yn oed i 'ngwraig. (*Yn y man mae'n edrych i fyny'r grisiau tua'r brig. Mae fel petai'n dod i benderfyniad; yn tacluso ychydig arno ei hun ; gafael yn ei gôt oddi ar y canllaw, a'i gwisgo. Mae'r wraig yn ei weld ac yn raddol mae'r ochneidio'n lleihau wrth iddi edrych ar y gŵr gyda rhyw gymysgedd o bryder, ofn ac amheuaeth. Mae'r gŵr yn awr yn dechrau cerdded yn araf i fyny'r grisiau*)

GWRAIG: Ble ti'n mynd ? (*Nid yw'r gŵr yn ateb, dim ond cerdded i fyny'n araf fel petai mewn breuddwyd*) .... Aros ! (*Mae'n codi ar ei thraed*) .... Paid â mynd .... (*Mae'n rhedeg at waelod y grisiau*) .... Ti 'nghlŵad i ? (*Nid yw'r gŵr yn cymryd yr un sylw ohoni, dim ond dal i gerdded i fyny yn araf a phenderfynol*) .... Paid â 'ngadael i .... (*Mae'n dechrau cerdded i fyny'r grisiau ar ei ôl*) .... aros funud .... aros inni gael siarad .... plîs .... dwi ddim isio neb arall .... ti ddim yn dallt .... (*Mae'n cerdded i fyny'r grisiau ar ei ôl wrth i'r llen ddisgyn*)

ACT III

GOLYGFA :

Mae'r ystafell yr un fath ag o'r blaen, a phan gyfyd y llen, mae'r llwyfan yn dywyll. Cryfheir golau oren (lliw machlud) y tro hwn i greu'r argraff fod y golau'n llenwi'r ffenestr ac yna'n llifo i mewn a llenwi'r ystafell. Yn yr un modd cryfheir y miwsig fel o'r blaen. Ymhen ychydig eiliadau, egyr y drws a pheidia'r miwsig. Daw y gŵr i mewn ond, erbyn hyn, mae wedi heneiddio yn arw. Yn wir mae mewn tipyn o oedran ac y mae'n cael ychydig o drafferth i gerdded. Mae hefyd wedi ymlâdd ar ôl dringo'r grisiau, ac mae'n eistedd ar unwaith i gael ei wynt ato. Mae'n tynnu bocs bach o dabledi o'i boced wasgod a llyncu un yn frysiog. Yn y man, mae'r drws yn agor eto, a daw'r ferch i mewn. Mae hithau hefyd erbyn hyn yn hen wraig fach benwyn. Erys wrth y drws am eiliad, ac edrych ar ei gŵr yn bryderus.

HEN WRAIG : Ti'n iawn ?

HEN ŴR : (*Heb droi ei ben*) Ddoist ti ?

HEN WRAIG : (*Yn nesu ato i eistedd wrth ei ochr*) Ddwedis i wrthat ti am beidio rhuthro'n do !

HEN ŴR : Mi gymrist *ti* dy amsar beth bynnag.

HEN WRAIG : (*Mae'n dod i eistedd wrth ochr ei gŵr*) Ma'r grisia 'na'n mynd yn hirach bob tro. (*Mae'n rhythu o'i blaen yn drist a myfyrgar. Yn araf mae'r hen ŵr yn dod ato'i hun ac yn dechrau edrych o'i gwmpas. Mae'n codi a symud o gylch yr ystafell*)

HEN ŴR : Be ti'n feddwl ?

HEN WRAIG : Be dwi'n feddwl be ?

HEN ŴR : Fama !

HEN WRAIG : (*Saib*) Fama ? . . . . Fancw ? Be 'di'r gwahaniaeth ?

HEN ŴR : Ond ma' 'na . . . . dwi'n 'i deimlo fo . . . . ma' 'na wahaniaeth pendant . . . .

HEN WRAIG : (*Yn edrych o'i chwmpas heb godi*) Yr un ogla . . . . yr un dodrafn . . . . yr un muria . . . . (*Mae'n edrych ar y grisiau*) . . . . yr un grisia . . . .

HEN ŴR : Grisia ? (*Mae fel petai'n sylweddoli am y tro cyntaf fod grisiau yno*) . . . .

HEN ŴR : Be 'dan ni isio . . . . ? (*Mae mewn cryn benbleth yn awr*) . . . . Pam ma' rhaid . . . . ? (*Mae'n mynd i sefyll at waelod y grisiau ac edrych i fyny yn bryderus. Yn y man, mae'n edrych ar yr hen wraig*) . . . . I be gythral ma' isio grisia arall ?

HEN WRAIG : Dŵad ti !

HEN ŴR : (*Mewn ychydig o banic rŵan*) Ond fama 'di'r stafell ddwytha . . . . awn ni ddim o fama . . . . 'sdim isio blydi grisia arall !

HEN WRAIG : (*Fel petai hi'n gwybod yn amgenach*) Be ma' nhw'n dda yna 'ta ?

HEN ŴR : Ond dyna ddudon nhw . . . . diwadd y daith . . . . dim mwy o ddringo . . . . dyna ddudon nhw.

HEN WRAIG : Ddudodd pwy ?

HEN ŴR : Pawb.

HEN WRAIG : Pwy 'pawb' ? (*Yn edrych arno fel petai'n ei gyhuddo o ddweud celwydd*)

HEN ŴR : (*Yn petruso braidd*) Ti'n gwbod pwy ydw i'n feddwl . . . . pawb oedd yn . . . . yn siarad am y peth . . . . (*Mae'n rhythu eto at y grisiau ac yna mae'n gwenu fel petai newydd sylweddoli rhywbeth*) . . . . A ! . . . . A ! . . . .

HEN WRAIG : Be sy ?

HEN ŴR . Dwi'n gweld hi rŵan. (*Mae'n rhoi ei ben allan trwy'r ffenestr ac edrych i fyny*)

HEN WRAIG : Gweld ?

HEN ŴR : Siam 'di . . . . ti ddim yn dallt . . . . cogio . . . .

HEN WRAIG : Be ti'n feddwl ?

HEN ŴR : Sdim byd uwchben . . . . 'dan ni'n dop y tŵr. (*Yn plygu allan i weld*)

HEN WRAIG : Ti'n siŵr ?

HEN ŴR : (*Yn mynd at y grisiau eto*) 'Di ddim byd ond . . . . 'peth' . . . . rwbath i ista arni . . . . ne i hongian petha . . . . (*Mae'n taflu ei gôt dros y canllaw*)

HEN WRAIG : Ti'n medru gweld 'ta? (*Mynd at y ffenestr*)

HEN ŴR : 'Sdim hoel cerddad arni . . . . dim hoel gwisgo ar y pren . . . .

HEN WRAIG : (*Wrth y ffenestr*) Alla i weld dim. (*Yn ceisio edrych i fyny y tu allan i'r ffenestr*)

HEN ŴR : (*Yn chwerthin wrth ei fodd*) 'Di gythral o ddim ond . . . . ornament !

HEN WRAIG : Wela i ddim byd ond niwl . . . .

HEN ŴR : Allwn ni 'i thynnu hi i lawr hyd yn oed . . . . Hei ! Ma' hynna'n syniad . . . . ti ddim yn meddwl ?

HEN WRAIG : (*Yn edrych allan trwy'r ffenestr*) Ma' ias eira ynddi . . . . synnwn i ddim na fydd 'na gnwd cyn bora.

HEN ŴR : Mi fasa 'na fwy o le yma wedyn . . . . a mi cadwa ni mewn coed tân trw'r gaea.

HEN WRAIG :(*Yn eistedd*) Ma' gas gin i eira . . . .

HEN ŴR : Eira ?

HEN WRAIG : Byta esgyrn rhywun . . . .

HEN ŴR : (*Yn mynd at y ffenestr*) 'Di 'di dechra 'ta ? . . . . Ydi ! . . . . Ydi, wir Dduw, ti'n iawn . . . . (*Mae wrth ei fodd fel plentyn*) . . . . Plu bach . . . . plu bach mân . . . . eira mân, eira mawr . . . . dyna ma' nhw'n ddeud . . . . mi fydd dat y cyrn cyn bora . . . . (*Wrth y ffenestr yn edrych i fyny*) . . . . Dowch ! Lawr â chi ! . . . . lawr â chi ! . . . . lawr â chi !

HEN WRAIG : 'Dio ddim ots amdana i nac ydi ?

HEN ŴR : Dwi wrth 'y modd hefo eira—nenwedig dros Dolig.

HEN WRAIG : A beth am Gwyn a'r plant, 'ta ?

HEN ŴR : Mi wna i sleifar o *sledge* iddyn nhw . . . . un â llorpia arni—cythral o un glyfar.

HEN WRAIG : (*Panic*) Ddôn nhw ddim os bydd 'na eira na wnân ?

HEN ŴR : Y ? (*Daw poen dros ei wyneb. Saib. Gwenu eto*) 'Dyn nhw rioed wedi methu Dolig ?

HEN WRAIG : Chawson nhw rioed eira o'r blaen naddo—a ti'n gwbod amdani *hi*.

HEN ŴR : Ma'r plant wrth 'u bodd dŵad yma.

HEN WRAIG : Unrhyw esgus neith tro iddi hi *rhag* dŵad ! (*Mae'n mynd at y ffenestr ac edrych allan*) Damia ! . . . . (*Mae'n cau'r ffenestr*) Damia ! . . . . Damia ! . . . . (*Mae'n cynhyrfu'n lân*)

HEN ŴR : Yli . . . . neith Gwyn mo'n siomi ni . . . . (*Mae'n mynd ati i'w chysuro*) . . . . Tyd rŵan . . . .(*Yn ei hebrwng i eistedd*)

HEN WRAIG : 'Di ddim isio iddyn nhw ddŵad ata i . . . . dwi'n gwbod !

HEN ŴR : Faswn i ddim yn deud hynny.

HEN WRAIG : Na fasat mwn . . . . cadwa arni . . . . dyna ti wedi neud rioed . . . . ond dwi'n gwbod . . . . ma' hi'n berwi o genfigan . . . . 'di ddim isio i'r plant gymryd ata i—dyna'r ffaith foel.

HEN ŴR : Ma'r plant 'di mwydro hefo'r lle 'ma.

HEN WRAIG : A ma' hi'n cael 'i thynnu bob tro ma' Gwyn yn codi'i fys bach i neud dim i mi.

HEN ŴR : Ti'n cofio ni'n mynd â nhw i hel llus ?

HEN WRAIG : A Duw sy'n gwbod 'mod i wedi trïo 'ngora glas hefo hi . . . .

HEN ŴR : A disgyn i'r baw gwarthag hwnnw . . . . nefoedd, a drewi . . . . ti'n cofio . . . . . pwy un ohonyn nhw oedd o dŵad ?

HEN WRAIG : Ond cheith hi ddim dŵad rhyngddo i a'r plant . . . .

HEN ŴR : *Fo*, 'ta *hi* ?

HEN WRAIG : Dim tra bydd chwthiad ynddi.

HEN ŴR : Yr hogan oedd hi dŵad ?

HEN WRAIG : Be ?

HEN ŴR : Ddaru ddisgyn ar 'i phen iddo fo.

HEN WRAIG : Ar 'i phen i be, neno'r Duw ?

HEN ŴR : I'r tail gwarthag hwnnw . . . .

HEN WRAIG : Am be gythral ti'n baldaruo ?

HEN ŴR : Ia, yr hogan fach oedd hi . . . . a'i chyrls melyn hi'n blastar . . . . ti'n cofio ? . . . . Ben Foel . . . . 'ta'r hogyn oedd o dŵad . . . .?

HEN WRAIG : Run ohonyn nhw !

HEN ŴR : Be ti'n feddwl run ohonyn nhw ? . . . . Dwi'n cofio.

HEN WRAIG : Nid plant Gwyn oedd hefo ni ond Gwyn 'i hun.

HEN ŴR : Gwyn ?

HEN WRAIG : A nid hel llus ar Ben Foel roeddan ni— ond hel mwyar duon yn Coed Parcia.

HEN ŴR : Ti'n siŵr ?

HEN WRAIG : Sut ddiawl fasa gwarthag yn mynd i ben mynydd 'ta ?

HEN ŴR : Ma' hynna'n bwynt.

HEN WRAIG : A heb warthag, fasa 'na ddim *cachu* gwarthag, na fasa ?

HEN ŴR : (*Yn dechrau chwerthin*) Na fasa . . . . (*Yn chwerthin yn uchel*) . . . . Ti'n iawn. (*Mae hithau'n dechrau chwerthin rŵan*) . . . . Ti'n llygad dy le . . . . Desu, ti'n deud petha digri weithia.

HEN WRAIG : (*Rhwng pyliau o chwerthin*) . . . . Ond mae o'n wir, tydi ?

HEN ŴR : Ti rêl cês twyt ! . . . . Ond mi ddaw Gwyn . . . . dŵad yn ôl adra 'di betha fo . . . . at 'i wreiddia . . . . (*Myfyrgar*) 'Di bod yn sgut am ddŵad adra rioed . . . .

HEN WRAIG : Mi alla i chlŵad hi rŵan. "O ! Gwyn . . . . edrychwch" . . . . 'Nes i alw *chi* arnat *ti* rioed ? —dim diawl o beryg . . . . "O Gwyn, drychwch cariad . . . . "

HEN ŴR : (*Dan ei wynt*) Wnest ti rioed alw 'cariad' arna i chwaith.

HEN WRAIG : Be ?

HEN ŴR : Dim . . . .

HEN WRAIG : (*Yn gwneud ymdrech glogyrnaidd i efelychu acen y de*) "Plufio eira disglwch . . . . mi fydd hi lawer rhy ddanjerus i drafeilu 'da'r plant . . . . be chi'n 'weud, Gwyn ?"

HEN ŴR : No môr . . . . no mynydd—lôn bôst bob cam.

HEN WRAIG : Y ?

HEN ŴR : Ti'n cofio Dic Fflat ?

HEN WRAIG : Wil Fflat.

HEN ŴR : 'Na ti . . . . Wil Fflat . . . . ti'n cofio fo ?

HEN WRAIG : Be ddiawl 'sgin hwnnw i neud â'r peth ?

HEN ŴR : Hefo'r fisitors.

HEN WRAIG : (*Syrffed*) O'r nefoedd !

HEN ŴR : Mi fydda 'na fisitors yn dŵad yma ers talwm ysti.

HEN WRAIG : A ma' nhw'n dal i ddŵad . . . .

HEN ŴR : Nid fel heddiw dwi'n feddwl—yn heidio yma . . . . ond amball i un . . . . Rheini oedd yn methu tro yn Ffingar . . . .

HEN WRAIG : Yli, dwi'n gwbod . . . .

HEN ŴR : Isio mynd i Llanbêr oeddan nhw i gyd.

HEN WRAIG : Dyma ni *off* eto . . . .

HEN ŴR : Oedd 'na goedan gelyn go fawr reit wrth y postyn ti'n gweld, a mi oedd honno'n . . . .

HEN WRAIG : (*Yn gorffen ei frawddeg*) . . . . cuddiad arwydd Llanberis, a mi fydda 'na amball un yn methu'r tro . . . .

HEN ŴR : Yn hollol, a dŵad syth ar 'u penna i fama.

HEN WRAIG : Mewn mistêc.

HEN ŴR : Mewn mistêc . . . . (*Yn edrych arni*) . . . . Oes rhaid i ti ddeud popath ar f'ôl i ?

HEN WRAIG : Tydw i ddim—'i ddeud o o dy flaen di ydw i !

HEN ŴR : A mi oedd Dic Fflat yn sefyll o flaen Llyfrgell a dyma sleifar o gar mawr-newydd-sbon-danlli-grai yma'n aros. "Escuse me," medda'r cono tu ôl i'r olwyn wrth . . . . ym . . . .

HEN WRAIG : Wil Fflat !

HEN ŴR : Wil Fflat . . . . "Which way to Llanberis ?" "That way," medda Fflat, hefo'r chydig Saesneg oedd gynno fo, a phwyntio rwla i gyfeiriad yr Wyddfa. "How many more miles ?" medda'r jiarff 'ma tu ôl i'r olwyn. "O ! No môr," medda Dic Fflat, "no môr no mynydd, lôn bôst bob cam !" (*Mae'r hen wraig yn sibrwd y geiriau hefo fo. Ar ôl dweud hyn mae'r hen ŵr yn dechrau chwerthin yn uchel*) . . . . Ti'n dallt hi ?

HEN WRAIG : (*Heb wên*) Ydw !

HEN ŴR : Môr, *môr* oedd o'n feddwl, ti'n gweld hi ? Nid *more* mwy. O'dd 'na ddim môr rhwng fanno a Llanberis.

HEN WRAIG : Taw deud !

HEN ŴR : (*Tan chwerthin a bwldagu*) Dyna oedd o'n feddwl oedd y Sais yn feddwl . . . . ti'n dallt ?

HEN WRAIG : (*Yn codi*) Be gymri di i swpar ? (*Mae'n cerdded at focs lle mae llestri, lliain, offer bwyd etc. wedi eu pentyrru*)

HEN ŴR : Ti'n gwbod sut gâth Dic Fflat 'i enw ? (*Yn tynnu ei getyn gwag allan a'i sugno*)

HEN WRAIG : 'Sgin i fawr o ddim, dallt. (*Yn dechrau hwylio'r bwrdd*)

HEN ŴR : Uffar o le am lasenw 'di fama. Oedd o'n sincio cwrw fel ych ar dranc ers talwm—doedd deg peint yn ddim iddo fo mewn noson . . . . a mi aeth yn dew fel 'bwi' . . . . a mi gafodd yr enw 'Dic Dew'.

HEN WRAIG : Wil !

HEN ŴR : 'Na ti—Wil Dew.

HEN WRAIG : Tisio i mi neud *Oxo* iti ?

HEN ŴR : Oedd o'n casáu hynny . . . . fedra fo ddim diodda clŵad rhywun yn galw Wil Dew arno fo . . . . "Duwcs, slimia," medda un o'r hogia . . . . "Dos ar y wisgi yn lle'r hen gwrw 'na . . . . mi golli di bwysa wedyn . . . . ac os na fyddi di'n *dew* fedar neb dy alw di'n Dic Dew, na fedran ?"

HEN WRAIG : 'Sgin i fawr o fara chwaith.

HEN ŴR : A mi ddaru . . . . slimio nes oedd o fel sgiwar gig . . . . ac o hynny ymlaen . . . .

HEN WRAIG : } Mi ddechreuodd pawb 'i alw fo'n Dic
HEN ŴR : Fflat.

HEN WRAIG : Wil Fflat !

HEN ŴR : (*Yn chwilio yn ei bocedi*) Lle ma' 'maco fi ?

HEN WRAIG : A be ddiawl 'sgin hynny i'w neud â'r peth ?

HEN ŴR : Y ?

HEN WRAIG : Be 'sgin Wil Fflat i'w wneud â'r eira a Gwyn a'r plant yn methu dŵad yma dros Dolig ?

HEN ŴR : (*Saib fer i feddwl*) Yn hollol ! . . . . Ma' ganddyn nhw lôn bôst ar hyd ffordd 'toes ? . . . . Hefo'r draffordd newydd 'na . . . . 'di'r eira'n cael fawr o gyfla i aros ar lôn bôst nagdi ?

HEN WRAIG : Ond mi fydd 'i heira *hi*. O bydd ! Siŵr Dduw bydd o.

HEN ŴR : (*Yn chwilio o gwmpas y lle*) Mi oedd o gin i funud yn ôl.

HEN WRAIG : Am y tro dwytha, be ti isio ?

HEN ŴR : Blydi baco ! Pacad cyfa heb 'i dorri !

HEN WRAIG : (*Yn dod â jwg lefrith i'r bwrdd*) I swpar ! (*Mae'n gollwng y jwg lefrith*) O'r nefoedd ! (*Mae'n edrych ar y jwg ar y llawr fel petai'n edrych ar ddrychiolaeth*) O Dduw mawr be wna i ?

HEN ŴR : (*Yn dod i helpu i godi'r darnau*) Be ydi'r ots ? 'Di ddim yn ddiwadd byd . . . .

HEN WRAIG : (*Yn rhythu o'i blaen mewn dychryn*) Be sy'n digwydd . . . . be' sy'n digwydd i mi . . . . ?

HEN ŴR : 'Sdim rhaid cynhyrfu . . . . hen jwg . . . . fawr o werth i neb.

HEN WRAIG : (*Yn dechrau beichio crio*) Nid y jwg . . . . ti ddim yn dallt . . . . Fi ! . . . . Fi !

HEN ŴR : (*Yn mynd ati i'w chysuro*) Yli ! . . . . Ista di'n fama. (*Yn ei hebrwng i eistedd*) . . . . Mi wna i damad i'r ddau ohonan ni.

HEN WRAIG : (*Yn edrych ar ei llaw*) 'Sdim byd yna . . . . fedra i ddim ! . . . .

HEN ŴR : 'Sdim isio i ti . . . . beth am gaws bach ar dost . . . . ?

HEN WRAIG : Ddim cau'n llaw . . . . (*Mewn panig braidd*) . . . . Ti ddim yn dallt . . . . fedra i ddim cau 'nwrn !

HEN ŴR : (*Syndod*) Dy ddwrn ?

HEN WRAIG : Un funud dwi'n gafal yn rwbath . . . . yn 'i deimlo fo'n galad yng 'nghledar 'y llaw i . . . . yna dim . . . . dim byd !

HEN ŴR : (*Yn gafael yn ei llaw*) 'Da mi weld. (*Mae'n rhwbio*) . . . . Dyna ti. (*Yn cusanu cledar ei llaw*)

HEN WRAIG : Be sy'n digwydd i ni ?

HEN ŴR : Cylchrediad gwaed . . . . dyna i gyd.

HEN WRAIG : Crino (*Yn freuddwydiol*) . . . . cracio . . . .

HEN ŴR : Gael o fy hun yn amal . . . . pinna bach . . . . dim byd i boeni . . . .

HEN WRAIG : (*Yn edrych i gyfeiriad y grisiau*) Dyna pam ma' honno yna.

HEN ŴR : Y ?

HEN WRAIG : Y grisia 'na . . . . i mi ma' hi.

HEN ŴR : Yli, paid â chynhyrfu, mi fyddi di'n iawn.

HEN WRAIG : Mi fydd rhaid 'i dringo hi . . . . a fyddwn ni'n gwbod dim . . . . dim teimlad . . . . fel gwefus ar ôl bod yn dentist . . . .

HEN ŴR : (*Yn poeni rŵan*) Mi wna i banad bach i ti. (*Yn gwneud osgo i fynd*)

HEN WRAIG : (*Yn gafael ynddo*) Paid â mynd.

HEN ŴR : Dim ond at y teciall 'na . . . .

HEN WRAIG : Dwi isio i ti addo un peth i mi.

HEN ŴR : Rwbath, ti'n gwbod hynny.

HEN WRAIG : (*Ar ôl saib hir*) Dwi isio i ti ddeud y gwir wrtha i . . . . bob amsar.

HEN ŴR : (*Yn ceisio ei chysuro yn fwy na dim*) Mi wna i hynny, 'nghariad i . . . .

HEN WRAIG : Dim celu dim ?

HEN ŴR : Wrth gwrs hynny.

HEN WRAIG : Byth ?

HEN ŴR : Byth !

HEN WRAIG : (*Yn rhythu o'i blaen gyda'i hwyneb yn llawn poen*) . . . . Dim twyllo . . . . dim fel 'Mam . . . . dweud yn blaen. (*Yn edrych ar y grisiau eto*) . . . . os bydd yr amsar wedi dŵad. (*Mae yntau'n awr yn troi i edrych at y grisiau. Saib hir o ddistawrwydd*)

HEN WRAIG : (*Yn freuddwydiol*) Y cyfan wedi mynd mor sydyn . . . .

HEN ŴR : Llithro trw fysadd rhywun . . . .

HEN WRAIG : (*Ar ôl saib hir*) Ni oeddan nhw, 'tê ?

HEN ŴR : Be ?

HEN WRAIG : Ddoth i mewn i'r stafell isa 'na un diwrnod poeth o ha.

HEN ŴR : (*Yn gwenu*) Ni oeddan nhw . . . .

HEN WRAIG : (*Yn gwenu*) Gawson ni hwyl.

HEN ŴR : Uffernol o hwyl.

HEN WRAIG : Mor ddiniwad.

HEN ŴR : Toeddan ni dŵad ! (*Saib hir. Mae'r wên eto'n graddol ddiflannu oddi ar wyneb yr hen wraig*)

HEN WRAIG : Dwi'n cofio gorfadd ar y gwely 'na a chodi 'nghoesa i fyny rhyngddo fi a'r gola, a deud . . . . Fi pia nhw . . . . Fi ! . . . . a ma' nhw'n ddel a siapus . . . . yn feddal ac aeddfed . . . .

yn llyfn a thyner . . . . ond rhyw ddiwrnod mi fyddan nhw'n greithia a tholcia . . . . wedi crebachu i gyd . . . . heb ias na chyffro . . . . yn hen a chaled . . . . (*Saib*) . . . . dim ond ddoe oedd hynny . . . . (*Mae'n dechrau crio'n ddistaw eto*)

HEN ŴR : Yli, paid ag ypsetio . . . .

HEN WRAIG : Ti'n gaddo twyt ?

HEN ŴR : Gaddo ?

HEN WRAIG : Y gwir . . . . bob amsar y gwir !

HEN ŴR : Dwi'n gaddo !

HEN WRAIG : Ar dy lw !

HEN ŴR : Ar fy llw !

HEN WRAIG : Dwi 'ddim isio diodda . . . . dim isio 'mwyta'n fyw . . . .

HEN ŴR : 'Sdim isio siarad am betha felly . . . .

HEN WRAIG : Na ! . . . . Ma' rhaid i mi . . . . Dwi isio i ti ddallt yn iawn . . . . (*Saib*) . . . . Pan ddaw amsar . . . . pan fydd dim ar ôl . . . . dim gobaith . . . . dwi isio mynd ! (*Mae'n gafael yn ei law ac edrych ym myw ei lygaid*) Ti 'nallt i ?

HEN ŴR : Dwi'n credu 'mod i . . . .

HEN WRAIG : Fy ngollwng . . . . yn urddasol . . . . dim twyllo . . . . dim siarad am holides fydd byth yn dŵad . . . .

HEN ŴR : Yli, gwranda . . . .

HEN WRAIG : Na ! Gwranda di . . . . fydd gin i neb ond ti yr adag honno . . . . ti fydd yr unig un i fy ngollwng i . . . . am byth ! (*Ceir saib hir o ddistawrwydd*)

HEN ŴR : (*Fel petai wedi datrys y broblem*) Trimio !

HEN WRAIG : Pwy ?

HEN ŴR : (*Yn llawn brwdfrydedd*) Dyna be wnawn ni siŵr Dduw . . . . trimins Dolig dros bob man.

HEN WRAIG : Lawer rhy gynnar i hynny.

HEN ŴR : (*Yn mynd i chwilio*) Ma' 'na focsiad yn rwla . . . .

HEN WRAIG : Ti'n gwrando arna i—ma' hydoedd tan Dolig.

HEN ŴR : Clycha, cadwyni, peli arian, swigod . . . . bob lliw a llun—dyma ni. (*Mae'n llusgo bocs go fawr i'r golwg*) . . . . Desu !

HEN WRAIG : Dim fath â Dolig dwytha, dallt.

HEN ŴR : (*Yn codi'r addurniadau o'r bocs gyda brwdfrydedd plentyn*) Drycha arnyn nhw . . . . bob matha . . . . rŵan 'ta . . . .

HEN WRAIG : O'dd hi fel carnifal yma gin ti llynadd.

HEN ŴR : (*Yn rhoi un pen ei gadwyn bapur i'w wraig*) Gafal yn pen yna. (*Mae'n gwneud*)

HEN WRAIG : Alla neb droi yma gan drimins (*Ond mae hithau'n dechrau sirioli yn awr wrth weld y gadwyn yn agor rhyngddynt*)

HEN ŴR : Mi plastrwn ni'r lle 'ma . . . . bob twll a chongol . . . .

HEN WRAIG : (*Yn gwenu yn awr*) Wnân nhw ddim byd ond magu llwch . . . .

HEN ŴR : (*Yn edrych ar y grisiau*) . . . . A fyddi di ddim yn nabod honna.

HEN WRAIG : (*Yn ofalus*) Be ti'n feddwl ?

HEN ŴR : (*Braidd yn ofnus*) . . . . Papur arian . . . . celyn . . . . tinsal . . . . fyddi di ddim yn nabod y grisia 'na ar ôl i mi orffan hefo hi.

HEN WRAIG : Ti'n deud ? (*Yn obeithiol*)

HEN ŴR : Mi claddwn ni hi

HEN WRAIG : (*Gyda pharchedig ofn*) Allwn ni ti'n meddwl ?

HEN ŴR : Mi ro i uffar o gynnig arni . . . . (*Yn mynd ar y grisiau gyda chadwyn bapur*)

HEN WRAIG : 'Dan ni ddim isio digio neb. (*Mae'n aros yn ei hunfan*)

HEN ŴR : (*Saib*) Neith o ddim drwg 'na neith . . . . ? Dipyn . . . . dipyn o liw . . . . yma ac acw . . . . ?

HEN WRAIG : (*Saib*) Na neith debyg . . . . (*Mae'r hen ŵr yn nesáu'n ofnus ac araf tuag at y grisiau*)

HEN WRAIG : Cymar ofal . . . .

HEN ŴR : (*Yn aros rhyw lathen oddi wrth y grisiau*) Nid diffyg parch ydi o . . . .

HEN WRAIG : Gwell peidio 'ta.

HEN ŴR : I'r gwrthwynab . . . .

HEN WRAIG : Rhag i rywun gamddeall . . . .

HEN ŴR : Talu teyrnged . . . . dyna . . . . (*Mae'n agosáu yn araf*) . . . . dyna be ydi addurno rwbath . . . . (*Mae'n taflu cadwyn dros y canllawiau. Saif y ddau fel dwy ddelw o farmor fel pe baent yn disgwyl i'r lle ffrwydro*)

HEN WRAIG : (*Ar ôl saib hir*) Neis !

HEN ŴR : (*Heb droi ei ben i edrych arni*) Tyd ag un arall yma !

HEN WRAIG : Rŵan ?

HEN ŴR : Tra ma'r haearn yn boeth . . . . (*Mae'r hen wraig yn awr yn codi cadwyn o'r bocs addurniadau ac yn cerdded yn araf a gwyliadwrus tuag at ei gŵr a'i chynnig iddo*)

HEN ŴR : Trïa di.

(*Mae'r hen wraig yn edrych i fyny at frig y grisiau ac yna, gyda'r un petruster a gofal, mae'n taflu cadwyn dros ganllaw'r grisiau. Saif y ddau i rythu ar y grisiau fel petaent yn disgwyl i rywbeth ddigwydd. Ceir ysbaid hir o ddistawrwydd. Dechreua'r hen ŵr wenu, ac yna chwerthin yn ysgafn, ac yna rowlio chwerthin. Mae'r hen wraig, er ychydig yn ofnus ar y dechrau, yn ymuno ag ef. Mae hithau yn y man yn magu digon o hyder i chwerthin yn uchel. Mae'r chwerthin a'r symud yn ymylu weithiau ar orffwylledd ac y mae'r hen ŵr yn rhuthro at y bocs addurniadau*)

HEN ŴR : Rarglwydd ! Aros di. (*Mae'n codi llond ei ddwylo o addurniadau*) Os 'i gneud hi— gneud hi ! (*Mae'n dechrau lluchio mwy o addurniadau dros y grisiau*)

HEN WRAIG : (*Hithau hefyd yn mynd i nôl mwy o addurniadau*) Y cwbwl ne ddim !

(*Mae'r ddau yn awr yn taflu pob math o bethau lliwgar dros y grisiau*)

HEN ŴR : Peidio bod ofn—dyna'r peth ti'n gweld.

HEN WRAIG : Gyts ! Dyna be s'isio !

HEN ŴR : Dyffeio'r lot . . . .

HEN WRAIG : Herio pawb . . . .

HEN ŴR : Pwy sydd i'n hatal ni . . . . ?

HEN WRAIG : Ni pia'r llaw ucha.

HEN ŴR : "Hogia ni . . . ." (*Yn dechrau canu*)

HEN WRAIG : (*Hefyd yn canu*) "Genod ni . . . ."

HEN ŴR : "Tydi'r sgwâr ddim digon mawr i hogia ni !"

HEN WRAIG : "Tydi'r sgwâr ddim digon mawr i genod ni !"

HEN ŴR : (*Fel plentyn yn awr*) Ma' hi fel Ffair Borth yma.

HEN WRAIG : (*Hithau wrth ei bodd yn awr*) Ydi tydi ?

HEN ŴR : Desu, ti'n cofio ni'n Ffair Borth ?

HEN WRAIG : Giang ohonan ni . . . .

HEN ŴR : (*Yn cymryd cam i fyny'r grisiau*) A'r Sioe Dina 'na.

HEN WRAIG : (*Yn sobri drwyddi*) Paid !

HEN ŴR : (*Yn camu'n uwch*) Co dre oedd o sti !

HEN WRAIG : Dim pellach !

HEN ŴR : (*Yn troi i'w hwynebu*) *Roll up* ! *Roll up* !

HEN WRAIG : Well iti ddŵad lawr.

HEN ŴR : Sioe fwya'r byd, hogia bach. Consartina ! A hynny i gyd am ddeunaw . . . . rhyw hen fodins o ochra Bryngwran 'na oedd gynno fo sti . . . . a bronna fel bagia blawd . . . . Dowch, hogia bach . . . . dim ond deunaw . . . . "Be gawn ni weld am ddeunaw ?" medda Els Bach . . . . "Dipyn mwy na fasa dy fam yn fodlon i ti weld," medda'r Cofi . . . .

HEN WRAIG : Yli, dwi ddim yn licio dy weld ti'n fama . . . .

HEN ŴR : Tyd i fan hyn.

HEN WRAIG : Y ?

HEN ŴR : Tyd i fan hyn wrth yn ochor i am funud.

HEN WRAIG : Na . . . . (*Gan gamu'n ôl*) . . . . Well gin i . . . .

HEN ŴR : Am funud ! . . . . tyd 'laen . . . . (*Saib*) . . . . Ni sy'n galw'r diwn . . . . (*Mae'r hen wraig yn symud yn araf ac ofnus tuag ato. Mae'n camu ar y grisiau fel petai'n disgwyl i rywbeth ofnadwy ddigwydd ac yna'n aros. Mae'r hen ŵr yn estyn ei law iddi*) Tyd !

HEN WRAIG : Dwi'n iawn yn fama.

HEN ŴR : Neith neb dy fyta di . . . .

HEN WRAIG : Dwi'n gwbod hynny . . . .

HEN ŴR : Tyd chydig bach yn nes, 'ta.

HEN WRAIG : Na . . . . dwi'n iawn—wir ! . . . . well gin i fan hyn.

HEN ŴR : Peidio dangos dy fod ti ofn—dyna'r peth.

HEN WRAIG : Dwi ddim . . . . dwi ddim ofn o gwbwl. (*Ond does fawr o argyhoeddiad yn ei llais*)

HEN ŴR · (*Yn estyn ei law eto*) Tyd i fyny fama, 'ta . . . . hefo fi !

HEN WRAIG : Na . . . . ti'n gwbod 'fel ydw i . . . . hefo uchdwr . . . . rhen bendro 'ma.

HEN ŴR : Dim hynna chwaith !

HEN WRAIG : Be ?

HEN ŴR : Cyfadda gwendid . . . . ma'r diawl yn glustia i gyd . . . . gymrith fantais yn syth.

HEN WRAIG : (*Nerfus iawn yn awr*) Pwy sy 'ma i glŵad ?

HEN ŴR : Mi ddysgis hynna'n gynnar . . . .

HEN WRAIG : Ti 'di gweld rhywun ?

HEN ŴR : A pheidio gildio, dyna'r peth . . . .

HEN WRAIG : Ddudis di ddim o'r blaen dy fod ti wedi gweld neb . . . .

HEN ŴR : Hyd yn oed pan o'n i'n rong . . . . o'n i'n uffernol o styfnig, dallt . . . . ond gwendid ydi disgyn ar dy fai . . . . gwendid ydi cyfadda . . . . A mi oedd D. J. yn gwbod hynny . . . . unwaith o'n i wedi gwneud 'y meddwl i fyny, mi oedd hi wedi 'cachu bans' ar neb i 'nhroi i.

HEN WRAIG : (*Wrth ei glywed yn rhegi*) Paid !'

HEN ŴR : A mi oedd y bastards yn gwbod hynny . . . .

HEN WRAIG : Dim rhegi ! Ti 'nghlŵad i . . . . ?

HEN ŴR : "Stwffiwch hi," medda fi.

HEN WRAIG : (*Yn gweiddi*) Rhag ofn !

HEN ŴR : Oedd gin i ofn neb . . . . dim diawl o beryg . . . . a mi oedd y shinach bach Preis yna'n gwbod hefyd . . . . 'Na ti rech 'lyb os buo na un rioed.

(*Mae'r hen wraig yn camu'n ôl yn araf oddi ar y grisiau*)

HEN ŴR : Cario straeon oedd 'i betha fo . . . . llyfu tin D.J. bob cyfla gâi o . . . . ond roedd D.J.'n gwbod . . . . o, oedd . . . . mi oedd D.J.'n gwbod ma' gin i oedd yr asgwrn cefn . . . . hogia'r werin . . . . Dyna pam ges i'r job. (*Mae'r hen wraig yn awr yn eistedd i lawr gyda golwg drist ar ei hwyneb. Mae hi'n gwybod yn wahanol*) . . . . Pwy gafodd y job ?

HEN WRAIG : (*Fel pe bai'n deffro o freuddwyd*) Be ?

HEN ŴR : Pwy gafodd y blydi job ? . . . . Dwi'n gofyn i ti . . . . pwy cafodd hi ?

HEN WRAIG : Chdi, pwy arall . . . . ?

HEN ŴR : Siŵr Dduw ma' fi cafodd hi ! . . . . O'dd fiw iddo fo . . . . o'dd fiw i'r diawl 'i rhoid hi i neb arall . . . . fasa'r hogia 'di rhoi 'drop tŵls' bysan . . . . ? (*Mae'r hen wraig yn edrych arno fo reit bathetig yn awr*) . . . . Allan ! . . . . bob copa walltog ohonyn nhw . . . . 'san nhw wedi'i larpio fo . . . . tasa fo . . . . tasa fo 'di'i rhoid hi i rywun fel . . . . fel y brych Preis 'na . . . . (*Saib*) O do . . . . mi ces i . . . . reit dros ben y diawl bach oriog hwnnw. "Fi ydi'r bos rŵan," medda fi . . . . "Fi sy'n deud be ydi be . . . . (*Saib*) . . . . a dwi isio chwara teg i'r gweithiwrs . . . . i'r hogia," me' fi . . . . reit yn 'i wynab o felna . . . . doedd o ddim yn licio hynna o gwbwl . . . . oedd neb 'di siarad felna hefo fo o'r blaen . . . . "Ti'n 'u trin nhw fel baw," me' fi . . . . Desu, o'dd o wedi dychryn . . . . welis i rioed D. J. 'di dychryn cymaint . . . . fel gialchan . . . . a'i wefla fo'n crynu i gyd . . . . "ond dim mwy," medda fi . . . . "'dan ni 'di diodda digon . . . . 'dan ni allan . . . . a dwi hefo nhw dallt . . . . hyd y blydi diwadd" . . . . "'Di Manijar ddim yn mynd ar streic," medda fo . . . . "Wel, ma'r Manijar yma," me' fi, a honna iddo fo. (*Mae'n gwneud arwydd hefo'i ddau fys*) A cherddad allan . . . . (*Yn edrych ar ei wraig eto*) 'Nes i'n iawn, do ?

HEN WRAIG : Do. (*Mae'n rhoi ei phen yn ei dwylo ac yn wylo'n ddistaw*)

HEN ŴR : Doedd o ddim yn mynd i gael y gora ar y boi yma ar chwara bach . . . . o'dd gin i f'egwyddorion. (*Mae'n dechrau mynd i stad go gynhyrfus yn awr*) . . . . Doedd o ddim yn mynd i neud pric pwdin ohona i . . . . o nag oedd . . . . yr ewach . . . . y llipryn diawl . . . . "Stwffia dy job," medda fi (*Mae'n gweiddi'n awr*) . . . . "Stwffia dy blydi job . . . ." (*Mae'n dechrau pesychu a thagu . . . . ac yna llithro ar y grisiau. Mae'r hen wraig yn codi ei phen. Mae'r hen ŵr yn awr yn gwneud y sŵn rhyfeddaf fel petai'n mygu'n lân*)

HEN WRAIG :(*Yn rhedeg ato*) Be sy ? (*Mae'r hen ŵr yn awr yn dechrau ymbalfalu ac yn ei lusgo ei hun i fyny'r grisiau*) O Dduw mawr ! (*Mae'n rhedeg i fyny'r grisiau ato heb ddangos unrhyw ofn o gwbwl yn awr*) Tria godi . . . . aros . . . . i . . . . (*Mae'n ceisio ei helpu i godi*)

HEN ŴR : Ma' rhaid i mi . . . .

HEN WRAIG : Rho dy bwysa arna i . . . . mi awn i lawr yn ara deg.

HEN ŴR : Fedra i ddim.

HEN WRAIG : Wrth gwrs y gelli di . . . . unwaith ca i di lawr i'r gwely 'na

HEN ŴR : Ti ddim yn dallt . . . . i fyny !

HEN WRAIG : Be ?

HEN ŴR : Dim lawr . . . . i fyny . . . . ma' rhaid i mi . . . . (*Mae'n gwneud ymdrech arall i ymbalfalu i fyny'r grisiau*)

HEN WRAIG : (*Yn gafael ynddo fel cranc*) Naci . . . . ofala i . . . . dwi'n gwbod. (*Mae'r hen ŵr yn dechrau llonyddu*) . . . . cheith o monat ti . . . . ddim rŵan . . . . (*Mae'n rhoi ei ben ar ei gliniau ac yn ei anwesu*) . . . . ddim rŵan 'ngwas i . . . . ofala i am hynny . . . . (*Saib hir o ddistawrwydd*) . . . . Trïa godi ar dy ista . . . . (*Mae'r hen ŵr yn gwneud hynny'n araf. Mae hithau'n rhoi ei llaw amdano i'w gysuro*) 'Na ti . . . . well rŵan . . . . 'sdim brys . . . .

HEN ŴR : Fydd hi'n wahanol tro nesa . . . .

HEN WRAIG : Fydd hi ?

HEN ŴR : Ti'n gwbod be dwi'n feddwl twyt ? (*Nid yw'r wraig yn ateb*) Dim ond un fydd yn mynd . . . . (*Saib*) . . . . dim hefo'n gilydd eto . . . . dim ond un fydd yn mynd i fyny'r grisia 'na tro nesa.

HEN WRAIG : (*Gyda rhyw dristwch breuddwydiol*) Un . . . . ar y tro . . . .

HEN ŴR : Un yn gynta . . . .

HEN WRAIG : A gadael y llall.

HEN ŴR : Dyna'r drefn !

HEN WRAIG : Rhaid plygu i'r drefn !

HEN ŴR: (*Ar ôl saib hir*) Un yn gynta . . . . a'r llall wedyn.

HEN WRAIG : Ond dim hefo'n gilydd tro nesa . . . . (*Yn gafael yn ei law*)

HEN ŴR : (*Yn edrych ym myw ei llygaid*) Dim hefo'n gilydd.

HEN WRAIG : (*Ar ôl saib*) Ond dim rŵan. (*Yn sirioli ychydig*)

HEN ŴR : (*O'i freuddwydion*) Be ?

HEN WRAIG : Dim rŵan 'di'r amsar . . . . i run ohonan ni.

HEN ŴR : Ti'n meddwl ?

HEN WRAIG : Dwi'n gwbod !

HEN ŴR : (*Yn edrych i fyny tua thop y grisiau*) Am funud rŵan . . . . o'n i'n credu . . . .

HEN WRAIG : Ma' pawb yn cael pwl fel 'na yn 'i dro.

HEN ŴR : 'Blaw chdi . . . . . . 'swn i wedi mynd.

HEN WRAIG : Trïa godi 'ta . . . (*Mae'r hen ŵr yn ceisio stryffaglio i godi*) Pwyll pia hi . . . . Ma' trw'r dydd gynnon ni !

HEN ŴR : Trw'n hoes! (*Mae'n sefyll yn sigledig*) . . . . dwi 'di cyffio'n lân.

HEN WRAIG : Gest ti godwm go hegar, sti . . . . (*Yn gafael yn dynn ynddo*) . . . . cam bach i lawr rŵan.

HEN ŴR : (*Yn camu'n araf. Mae wedi heneiddio mewn pum munud i fod yn hen ŵr bach musgrell*) Ma' hi wedi twllu'n uffernol o sydyn, tydi . . . . ?

HEN WRAIG : (*Yn dod i lawr y grisiau'n llafurus*) . . . . 'Na ti . . . .

HEN ŴR : Welis i rioed darth yma o'r blaen.

HEN WRAIG : Ara deg . . . .

HEN ŴR : (*Yn ei arwain yn ofalus*) Yn y stafell 'ma . . . . welis i rioed darth i mewn yma o'r blaen.

(*Hen wraig yn mynd ag ef at y bocs a ddefnyddia fel gwely*)

HEN WRAIG : Felna gweli di gefn gaea fel hyn.

HEN ŴR : (*Yn pesychu*) 'Dio ddim lles i frest rhywun chwaith.

HEN WRAIG : Stedda di'n fanna rŵan !

(*Mae'n ei helpu i eistedd ar y gwely a chodi ei goesau arno*)

HEN WRAIG : Fyddi di ddim run un ar ôl cyntun bach.

HEN ŴR : Be nei di ?

HEN WRAIG : Digon i neud ysti.

HEN ŴR : Ei di ddim yn bell, na nei ?

HEN WRAIG : A'i ddim cam o 'ma.

HEN ŴR : (*Yn gafael yn ei llaw*) Ti'n gaddo ?

HEN WRAIG : (*Yn eistedd wrth ochr y gwely*) Dwi'n gaddo.

(*Tywyllir y llwyfan yn araf. Cawn batrymau eto yn y ffenestr sy'n toddi'n raddol i ddilyniant o ffilm ciné. Gwelwn unwaith eto y foment honno o ddiwedd yr ail act pan yw'r gŵr yn peltio ei wraig yn orffwyll. Nid oes rhaid cael sain y deialog, ond efallai y byddai'r miwsig yn effeithiol. Mae'r ymladdfa yma yn gorffen gyda'r wraig yn disgyn ar y llawr dan wylo —yn union fel y gwelsom hi'n gwneud y tro o'r blaen. Diwedd y dilyniant ffilm*)

(*Mae'r hen wraig yn awr yn codi a mynd i nôl planced i'w rhoi dros yr hen ŵr. Mae hefyd yn gosod rhyw fath o declyn ar ben y gwely sy'n galluogi'r hen ŵr i godi ar ei eistedd a gorffwys yn ei erbyn. Mae'r cyfan yn debycach yn awr i gadair olwyn ac os oes 'castors' dan y cyfan, gall yr hen wraig wthio yr hen ŵr yn awr yn nes at flaen y llwyfan fel ei fod yn wynebu'r gynulleidfa*)

HEN WRAIG : 'Na ti . . . . Lle ma' dy faco di rŵan ?

(*Mae'n mynd i nôl ei gêr smocio. Mae hithau bellach wedi arafu tipyn yn ei cherddediad*)

HEN ŴR : Hen wynt 'na reit fain hefyd.

HEN WRAIG : (*Yn llenwi ei getyn o'r pwrs baco*) Byta trw groen rhywun.

HEN ŴR : Dwi'n methu dallt pam na ddoth Gwyn.

HEN WRAIG : Mi o'na dipyn o eira, toedd . . . .

(*Mae'r hen wraig yn rhoi'r cetyn yn ei law a chau ei fysedd amdano*)

HEN WRAIG : Gwasga'n dynnach ne mi sgynith . . . .

HEN ŴR : Hi 'di drwg. (*Mae'n codi ei fraich yn fecanyddol at ei geg*) .... rêl hen ast 'di'r wraig 'na sgynno fo.

HEN WRAIG : Rho hi yn dy geg imi'i thanio hi i ti. (*Mae'n ei helpu i wneud*) 'Na ti. (*Mae'n tanio matsen a'i dal uwch powlen y cetyn*) Tynna .... (*Mae'n sugno*) .... Tynna fel tasa ti'n feddwl o .... Nefoedd .... ma' rhaid i mi llnau'r cetyn 'na hefyd .... mae o'n mynd i ddrewi'n waeth bob dydd.

HEN ŴR : 'U berwi nhw fydda 'nhad.

HEN WRAIG : Berwi ?

HEN ŴR : O'dd gynno fo chwech ohonyn nhw .... un at bob diwrnod o'r wythnos.

HEN WRAIG : Ma' saith diwrnod mewn wythnos.
(*Mae'n mynd at fwrdd yn awr ac yn rhoi rhywbeth tebyg i fwyd babi mewn sosban a thywallt llefrith ar ei ben. Mae'n ei roi ar focs arall fel petai yn ei ferwi. Bob hyn a hyn mae'n ei droi*)

HEN ŴR : O'dd o ddim yn smocio dy' Sul .... (*Meddwl*) Dyn da o'dd 'Nhad .... parchu'r Sul .... cadw'r Sabath .... Dim cario glo .... dim torri coed tân .... dim torri gwinadd.
(*Mae'n dechrau chwerthin yn ddistaw yn awr*) .... Ges i gythral o glustan ganddo fo unwaith am dorri 'ngwinadd ar ddy' Sul .... O'dd o'n prynu *News of the World* yn ddi-ffael ond ddim yn darllan o tan dy' Llun .... O'dd o ddim yn smocio chwaith dy' Sul .... O'dd gynno fo chwe cetyn ysti .... un am bob diwrnod .... ond dim un ar ddydd Sul .... (*Chwerthin eto*) .... O'dd dim isio almanac yn tŷ ni .... dim ond edrach ar y cetyn o' gin 'Nhad .... oeddat ti'n gwbod pwy ddiwrnod oedd hi ....

Smocio nhw felly . . . . un ar y tro . . . . un gwahanol i bob diwrnod . . . . ond doedd o byth yn smocio dy' Sul . . . . wyddat ti hynny ?

HEN WRAIG : Dwi'n berwi chydig bach o *Cow and Gate* i ti. (*Mae'n tywallt y gymysgfa i bowlen fach*)

HEN ŴR : A sti be oedd o'n neud ? Bob dy' Llun Diolchgarwch . . . . rhoid y chwech mewn sosban . . . . a'u berwi nhw . . . . Felly oedd o'n llnau nhw . . . . Desu oedd ogla yna ddigon i dy daro di . . . . O'dd pawb yn cadw draw o tŷ ni ar Ddiolchgarwch. (*Mae'n sugno ei getyn. Mae wedi diffodd*) Damia ! . . . . ma' hwn 'di diffodd eto . . . . 'Sgin ti ddim tân, gwael ?

HEN WRAIG : (*Yn dod at y gadair hefo'r bwyd*) Byta hwn i ddechra cyn iddo fo oeri.

HEN ŴR : O . . . . dim rŵan . . . .

HEN WRAIG : Mymryn lleia . . . .

HEN ŴR : 'Sgin i fawr o stumog . . . .

HEN WRAIG : Dim ond llond gwniadur sy 'ma. Tyd. (*Mae'n ei fwydo fel babi*)

HEN ŴR : Mi godith bwys mawr arna i.

HEN WRAIG : Neith hwn ddim drwg iti . . . . Bwyd babi ydi o.

HEN ŴR : (*Yn ei boeri allan*) Dwi ddim isio bwyd babi . . . . nid blydi babi ydw i . . . .
(*Mae'n gwneud sŵn fel petai mewn poen ac y mae hithau yn rhuthro i afael mewn tywel sydd wrth law a'i ddal fel y gall fod yn sâl ynddo*)

HEN WRAIG : (*Yn ei gysuro fel plentyn*) 'Na ti . . . . paid â phoeni . . . . (*Mae'n dod ato'i hun ac y mae hithau'n sychu ei geg*) Gymri di ddiod bach ?

HEN ŴR : Dim diolch . . . . fedra i ddal dim i lawr dyddia yma . . . . dim hyd yn oed dŵr.

HEN WRAIG : Mi ddoi drosto fo (*Saib*) . . . .
HEN ŴR : Cyn yr ha, ti'n meddwl ?
HEN WRAIG : O . . . . yn bendant cyn yr ha . . . .
HEN ŴR : (*Ar ôl saib hir*) Hoffwn i holides iawn eleni . . . . rwla 'dan ni rioed wedi bod.
HEN WRAIG : Fel lle ?
HEN ŴR : Dwn i'm . . . . lle poeth braf . . . . nes ma' gwallt dy ben di'n ffrio . . . . fath â'r lle 'na aethon ni stalwm . . . . ti'n cofio ? . . . . Toro . . . . ti'n cofio . . . . ? (*Yn treio cofio'r gair*) Toro . . . .
HEN WRAIG : Toromolinos.
HEN ŴR : 'Na ti . . . . fanno . . . . (*Saib*) . . . . Ti'n meddwl y bydda i ddigon da i fynd i rwla felly 'r ha nesa 'ma?
HEN WRAIG : Wrth gwrs y byddi di. (*Saib*) . . . . mi gawn ni holides gwerth chweil. (*Mae'n gafael yn ei law ac edrych i fyw ei lygaid*)
HEN ŴR : (*Ar ôl saib hir*) Ar dy lw ?
HEN WRAIG : (*Heb betruso*) Ar fy llw. (*Saib*)
HEN ŴR : Dwi'n credu y cymra i un o'r tabledi 'na eto . . . . dwi'n teimlo chydig gwell ar ôl rheina . . . . (*Mae'r hen wraig yn mynd i nôl y botel dabledi*) . . . . Lliniaru'r boen chydig . . . . (*Mae'n tynnu dwy allan*) . . . . dim cystal â'r *injection* 'na dwi'n gael chwaith.
HEN WRAIG : (*Yn dangos y tabledi ar ei llaw*) Dyma ti.
HEN ŴR : Dwy ? . . . . Un sy i fod !
HEN WRAIG : (*Yn rhoi un yn ei geg*) Mi neith les i ti. (*Yn rhoi'r llall yn ei geg*) 'Sdim drwg mewn cymryd dwy.
HEN ŴR : Lwcus bod ti'n nyrs . . . . i wbod am y petha 'ma . . . . dim pawb 'sgin nyrs rownd rîl.

HEN WRAIG : Hoffat ti gysgu am chydig ?
HEN ŴR : Na . . . . dwi'n teimlo'n well rŵan.
HEN WRAIG : Smôc bach 'ta ?
HEN ŴR : Na . . . . ma'r hen faco 'na'n llosgi 'ngheg i braidd.
HEN WRAIG : Chdi sy'n gwbod.
HEN ŴR : Be sy 'na tybad ?
HEN WRAIG : Ble ?
HEN ŴR : (*Yn edrych i fyny*) Fyny fancw. (*Mae'r hen wraig yn edrych i fyny hefyd. Cawn saib hir o ddistawrwydd wrth iddynt wneud hynny*) . . . . Bownd o fod rwbath . . . .
HEN WRAIG : Siŵr o fod !
HEN ŴR : Oes neb yn sâff . . . .
HEN WRAIG : Ond ma' 'na risia . . . . fasa hi ddim yn arwain i nunlla, na fasa ?
HEN ŴR : Dim ond grisia, falla . . . . dringo am byth.
HEN WRAIG : Ma' bownd fod rwbath . . . . ar ôl yr holl draffarth . . . .
HEN ŴR : Mynd ar goll ar y grisia . . . . y meddwl yn peidio . . . . y cof yn pallu . . . .
HEN WRAIG : Paid â dechra hel meddylia eto.
HEN ŴR : Breuddwyd yn para am byth . . . .
HEN WRAIG : Ma' hi wedi bod mor galad . . . . ma' bownd fod gwobr.
HEN ŴR : Ne gosb !
HEN WRAIG : Cosb ?
HEN ŴR : (*Yn methu â'i reoli'i hun*) 'Nes i ddim . . . . cythral o ddim.
HEN WRAIG : Be ti'n feddwl ?
HEN ŴR : Dim . . . . diawl o ddim . . . . methiant . . . . blydi methiant !

HEN WRAIG : Yli . . . . dwi ddim isio clŵad dim o'r lol yna . . . .

HEN ŴR : Cneuan wag . . . . dyna be ydw i.

HEN WRAIG : Dim cythral o beryg . . . . 'nest ti ddim gildio, naddo ? . . . . 'Nest ti ddim rhoi y ffidil yn y to.

HEN ŴR : 'Di hynny'n ddigon ?

HEN WRAIG : Mae o'n ddigon i mi . . . . fi a chdi ydi hi wedi bod rioed . . . . fi a chdi trw ddŵr a thân . . . . hefo'n gilydd . . . . yn cynnal 'n gilydd . . . . mi fuo 'na gymaint o betha . . . . cymaint o rwystra . . . . ond 'dan ni yma tydan . . . . yma yn y stafell ddwytha . . . . hefo'n gilydd.

HEN ŴR : (*Yn sychu'i ddagrau*) 'Dan ni yma . . . .

HEN WRAIG : Dyna sy'n cyfri. (*Saib*) Faint fedar hawlio hynna . . . . ? Dŵad wrtha i . . . .

HEN ŴR : 'Sdim byd arall yn cyfri . . . .

HEN WRAIG : A taswn i'n cael cychwyn eto . . . . reit yn gwaelod 'na . . . . newidiwn i run chwinciad.

HEN ŴR : Ti'n deud hynny . . . . ?

HEN WRAIG : (*Yn gafael yn ei law a'i chusanu*) Deud, ydw! . . . .

HEN ŴR : 'Dan ni wedi cael hwyl.

HEN WRAIG : Cythral o hwyl.

HEN ŴR : Ti'n cofio fi'n dy gario di ar fy sgwydda'n Ffair Borth.

HEN WRAIG : Ben Wyddfa oedd hynny.

HEN ŴR : 'Na ti . . . . a ffrog newydd gin ti . . . . o'n i'n gallu gweld trwyddi . . . .

HEN WRAIG : Trip ysgol oedd hynny i Llundain.

HEN ŴR : Dim na ges i 'nhemtio cofia . . . . droeon.

HEN WRAIG : Dwi ddim isio gwbod . . . .

HEN ŴR : Yr hen ast dinboeth bach 'na'n cantîn . . . . isio lifft medda hi . . . . wn i be oedd hi isio . . . .

HEN WRAIG : Roist ti lifft iddi . . . . dwi'n cofio.

HEN ŴR : Oedd fiw i mi . . . . isio 'nghael i adra oedd hi . . . . 'i gŵr hi'n gweithio shifft nos.

HEN WRAIG : Roeddat ti'n nabod 'i gŵr, toeddat ?

HEN ŴR : Sais oedd o meddan nhw i mi. (*Saib hir yn awr o ddistawrwydd*) . . . . Hen hwran bach o'dd hi . . . . beryg bywyd . . . . 'nawn i ddim byd â hi . . . . O'n i yn yr offis un diwrnod . . . .

HEN WRAIG : Yli . . . . 'sa well gin i beidio.

HEN ŴR : A dyma hi i fewn . . . . smalio gwagio *ash trays* a ballu . . . . gymris i fawr o sylw ohoni hi . . . . "Pam roesoch chi'ch llaw i lawr 'y mlows i 'ta ? " medda hi.

HEN WRAIG : Be ? (*Yn cynhyrfu braidd*)

HEN ŴR : "Be 'dach chi'n feddwl?" 'me fi . . . . "Rŵan jest," medda hitha, "ac agor 'y motyma i gyd . . . ." (*Mae'r hen wraig yn edrych arno'n hurt yn awr. Nid yw'n siŵr ai ffwndro y mae, neu beth. Mae hi'n cofio dweud y stori wrtho wrth gwrs*) . . . . "'Nes i ddim ffashiwn beth," me' fi . . . . "Wrth gwrs gnaethoch chi," medda'r hoedan bach, ac agor nhw i gyd yn fanno reit o 'mlaen i . . . . "Dos o 'ma'r ast," me' fi . . . . "A mi ofala i," medda hitha, "bod 'y ngŵr yn gwbod hynny cyn nos hefyd . . . . dwi ddim isio i bawb gyffwrdd yn 'y mrestia i" . . . . Mi rois i gic dan 'i thin hi allan . . . . mi dduda i hynna wrthat ti am ddim . . . . y slwt bach ddigwilydd.

(*Mae'r hen wraig yn codi a cherdded y tu ôl iddo at*

y ffenestr. Mae'n edrych allan gyda'i chefn at y gynulleidfa)

HEN ŴR : Wn i be o'dd 'i gêm hi, dallt . . . . isio job i'w gŵr oedd hi, ond doedd hi ddim am 'y nal i fel'na . . . (*Saib*) . . . . Gâth hi D. J. hefyd . . . . o'dd fawr o waith bachu hwnnw . . . . 'I drin o fel mynna hi. Fwrw Sul bach slei a ballu . . . . Ffwr' â nhw . . . . gwesty bach yn berfeddion gwlad . . . . Wn i'n iawn . . . . allan nhw ddim 'y nhwyllo i . . . . welis i filia a ballu yn 'i offis o . . . . run ystafell . . . . Mr. a Mrs. Jenkins. (*Nid yw'r hen wraig yn troi i edrych. Rhaid deall fod yr hen ŵr yn hollol ddiniwed wrth ddweud hyn. Nid yw'n treio bod yn glyfar o gwbwl, dim ond ffwndro yn ei henaint*) . . . . Be ti isio'r diawl ? (*Fel petai'n gweld rhywbeth wrth waelod ei wely*) . . . . hegla hi o'ma . . . . hegla hi . . . . (*Mae'r wraig yn troi yn sydyn i edrych*) A chditha hefyd. (*Wrth rywun arall anweledig*) . . . . Be ddiawl 'dach chi isio yma . . . . i rythu a bysnesu . . . . Heglwch hi ! . . . . 'Dach chi'n 'nghlŵad i. (*Mae'n cael pwl cas o besychu*)

HEN WRAIG : (*Yn brysio ato*) 'Na ti . . . . paid â chynhyrfu . . . .

HEN ŴR : 'Nes i ddim gofyn iddyn nhw, naddo . . . .? Wnes i ddim gofyn . . . . iddyn . . . . iddyn nhw. (*Mae'n cael trafferth hefo'i leferydd yn awr*) . . . . ddŵad . . . . llonydd . . . . dyna be . . . .

HEN WRAIG : Paid â blino dy hun . . . . gorfadd yn ôl am chydig. (*Mae'n helpu i bwyso yn ôl*)

HEN ŴR : Mi geith o . . . . Huw Bach Stabla . . . . mi geith o aros . . . . Guto Lleina . . . . Diawl

. . . . ma'r hogia yma . . . . a Tom Pêr . . . . hogia 'di dŵad . . . . Wil Bach Sir Fôn . . . .

HEN WRAIG : 'Sdim byd i ofni . . . . 'sneb yma . . . .

HEN ŴR : Wrth gwrs bod nhw yma . . . . 'di mynd ers talwm . . . . a 'di dŵad nôl . . . . (*Mae'n gwingo mewn poen*) Fedra i ddim . . . . dim mwy.

HEN WRAIG : (*Yn rhoi ei law dan ei grys a rhwbio'i fol*) . . . . Dyna ti . . . .

HEN ŴR : Fel hoelion poeth . . . .

HEN WRAIG : Anadla'n ddwfn.

HEN ŴR : Fedra i ddim . . . .

HEN WRAIG : Trïa dy ora, cyw . . . . trïa dy ora . . . . (*Mae'n anadlu'n ddwfn—i mewn ac allan i mewn ac allan.*) Dyna ti . . . . (*Wrth wneud hyn, mae'n tawelu ychydig*) . . . . Well rŵan . . . .

HEN ŴR : (*Yn sibrwd bron*) Urddasol . . . .

HEN WRAIG : Be ddudist ti ?

HEN ŴR : Chdi . . . . chdi ddudodd o . . . . pan ddaw'r amsar . . . . pan fydd dim ar ôl . . . . dim gobaith . . . .

HEN WRAIG : Paid â siarad lol . . . .

HEN ŴR : Ddim isio diodda . . . . 'mwyta'n fyw.

HEN WRAIG : Gymri di dablet bach arall ?

HEN ŴR : Dim hynny . . . . llall . . . . *injection* !

HEN WRAIG : Ma' hi braidd yn fuan i'r *injection.*

HEN ŴR : Ti 'di'r unig un i 'ngollwng i. (*Saib hir yn awr fel y mae'r hen wraig yn deall*) . . . . Ti'n dallt ? . . . . Llonydd . . . . am byth . . . . (*Mae'n dal i edrych arno*) . . . . yn urddasol !

(*Mae'r hen wraig yn cerdded yn araf at fwrdd lle mae dysgl â gorchudd drosti . . . . Mae'n tynnu'r gorchudd ac yn codi'r syrinj, a'i lenwi o ampule.*

Wedi gwneud hyn mae'n petruso. Clywir yr hen ŵr yn griddfan yn y gwely. Mae'n gafael mewn ampule arall, a sugno honno hefyd i'r syrinj. Mae'r hen wraig yn cerdded at y gwely ; gafael ym mraich yr hen ŵr, a thorchi ei lewys yn araf . . . .)

HEN ŴR : Dyma'r unig beth oedd yn cyfri, sti.

HEN WRAIG : Mi fyddi di'n well ar ôl hon. (*Mae'n ei bigo a phwmpio'r hylif i mewn i'w wythiennau. Mae'n rhoi'r syrinj ar y bocs wrth ochr y gwely*)

HEN ŴR : Ac os bydd hi'n braf yn Toromolinos . . . . mi orweddwn ni trw'r dydd wrth yr hen bwll nofio hwnnw . . . . (*Mae'n gorffwys yn ôl*) . . . . Glasiad mawr budr o bycardi a *coke* . . . . pacad deu-cant o ffags—*duty free* . . . . a'r haul . . . . yn twnnu . . . . yn twnnu . . . . gynnas . . . . braf . . . . ar 'y mol i . . . . yn iach . . . . fel y gneuan . . . . (*Mae'n cau ei lygaid i gysgu*) . . . .

HEN WRAIG : Cysga di 'ngwas i . . . . (*Mae'n rhoi'r teclyn a oedd wrth ben y gwely er mwyn ei helpu i eistedd, i lawr. Mae'r hen ŵr yn gorwedd ar wastad ei gefn yn awr, ac y mae hithau yn codi'r blanced reit at ei ên*) . . . . Cysga'n braf . . . . (*Mae'r hen ŵr yn troi ar ei ochr ac yn rhoi ochenaid o foddhad wrth swatio dan y blancedi. Eistedda'r hen wraig ar y bocs wrth ochr y gwely, ond cyn gwneud, mae'n codi'r syrinj ac edrych arni. Mae'n eistedd ar y gadair gan afael yn y syrinj fel petai rhywbeth annwyl iawn yn ei dwylo*)

HEN WRAIG : (*Tan syllu'n fyfyriol o'i blaen*) Croesi cae . . . . dringo grisia . . . . y cwbwl mor sydyn . . . . llithro rhwng bysedd rhywun . . . . a'r cwbwl . . . . er mwyn hyn ?

(*Saib hir o ddistawrwydd yn awr. Mae hi'n dal i*

rythu, fel mewn breuddwyd, i'r gwagle o'i blaen. Yn y man, mae'r hen ŵr yn neidio o'i wely ac yn cerdded yn syth at y ffenestr a sefyll o'i blaen. Daw darlun ohono'n ifanc ar sgrîn y ffenestr, ac ymddengys y darlun hwnnw fel petai'n edrych i lawr arno. Wrth i hyn i gyd ddigwydd nid yw'r hen wraig yn troi ei phen i edrych arno—dim ond dal i rythu o'i blaen yn freuddwydiol. Dechreua'r hen ŵr ddadwisgo yn awr. Mae'n tynnu wig oddi ar ei ben i ddechrau i ddangos mop o wallt du fel ag yr oedd ganddo ar ddechrau'r ddrama. Mae'n tynnu ei grys, ac oddi tano gwelwn y crys "T" oedd ganddo yn yr act gyntaf. Gwelwn yn awr, ar sgrîn y ffenestr, ddarlun ohono yn ganol oed. Mae'r llanc yn tynnu ei drowsus yn awr, a gwelwn ei fod yn gwisgo 'jeans' oddi tano)

(*Gwelwn yn awr, ar y sgrîn, ddarlun ohono yn hen fel ag yr oedd yn union cyn codi o'i wely. Mae'r llanc yn awr yn troi at yr hen wraig*)

LLANC : Ti'n barod, 'ta ? (*Mae'n rhedeg i fyny'r grisiau ond yn aros hanner y ffordd ac edrych i lawr ar yr hen wraig sydd o hyd yn dal i syllu i'r gwagle o'i blaen heb ymateb o gwbwl i symudiadau na siarad y llanc*) Gad i ni fynd allan o'r lle 'ma . . . . allan i'r awyr iach . . . . blasu'r cyfan tra 'dan ni'n cael cyfle . . . . ti 'nghlwad i? Dwy galon yn curo . . . . caru nes bod o'n brifo . . . . dowc gynta'r tymor . . . . torri ias . . . . teimlo'r croen yn llyfn a phoeth . . . . (*Mae'n rhedeg yn awr i dop y grisiau, ond cyn diflannu mae'n troi unwaith eto*)

Ti'n dŵad ? (*Mae'n diflannu i rywle sydd uwchben*)

(Mae'r hen wraig yn dal i syllu i gyfeiriad y gynulleidfa. Mae darlun o'r llanc fel hen ŵr ar y sgrîn. Cawn ysbaid o ddistawrwydd ac yna clywir sŵn trên yn y pellter, yn rhuthro trwy'r tywyllwch i rywle. Daw gwên fach ar wyneb yr hen wraig)

HEN WRAIG : Trên !

TYWYLLWCH